おりがみで作る壁面かざり

十二支と
かわいい動物たち

「おりがみくらぶ」主宰
新宮文明

つちや書店

おりがみで作る壁面かざり
十二支とかわいい動物たち

もくじ

- 基本の折り方と記号　5
- おりがみの折り方　49

春 Spring

くまの花見　8

菜の花畑へ列車でゴー！　10

はりねずみのいちご狩り　12

ももんがの空中さんぽ　14

フラミンゴの贈り物　16

夏 Summer

虹空とカエルの大合唱　18

コアラの七夕　20

大海原にくじら登場　22

かめのひまわり観賞会　24

夏の夜の風物詩　26

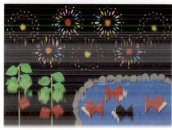

冬 Winter

大忙しのトナカイ　36

秋 Autumn

キツネの紅葉狩り　28

きりんのたこあげ　38

ふくろうのハロウィン　30

豆まきペンギン　40

リスのどんぐり集め　32

ひつじのひなまつり　42

たぬきの焼き芋大会　34

※作品のサイズについて
- 大きな作品はB2（61.5cm×72.0cm）サイズのパネル、小さな作品はB3（36.4cm×51.5cm）サイズのパネルを使用して制作しています。
- おりがみの折り方ページ（P.49〜）に、使用したおりがみサイズの説明がない場合は、15cm×15cmのおりがみを使用して作品を制作しています。

※作品の目について
- 作品中に出てくる目は、めだまシールや、白い丸シールに目を描いたものを多く使用しています。

十二支大集合！ 44

子・丑・寅・卯 46

辰・巳・午・未 47

申・酉・戌・亥 48

基本の折り方と記号

うら返す

上下の位置をかえずに、おりがみをうら返します。

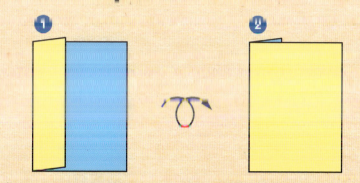

向きをかえる

おもてうらをかえずに、おりがみの向きをかえます。

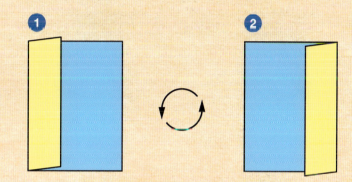

拡大

わかりやすくするために、次の手順から折り図を大きくします。

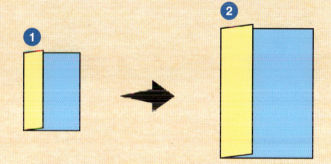

ハサミ

太線にそってハサミで切ります。

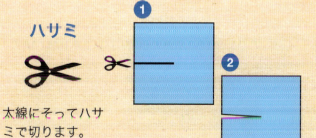

のり

のりをつけるところを表します。

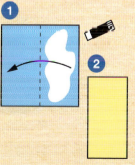

点線で折る
内側に折り線がかくれるように折ります。

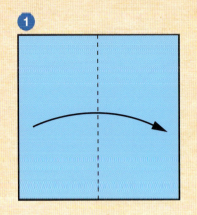 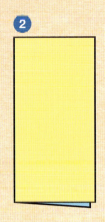

点線でうしろに折る
外側に折り線が出るように折ります。

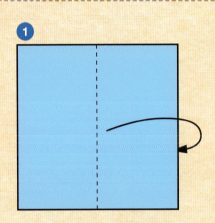 

折り目をつけてもどす
内側に折り線がかくれるように折って、もとにもどします。

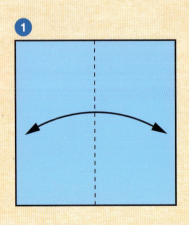 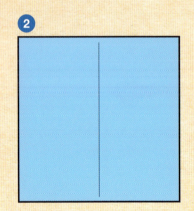

矢印(⇨)からふくろをひらいてつぶす
矢印(⇨)のところでふくろをひらいて、ふくろを指でつぶすように折ります。

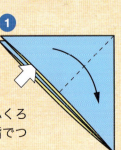 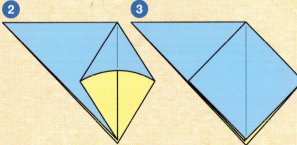

段折り
一度折って、折り返します。

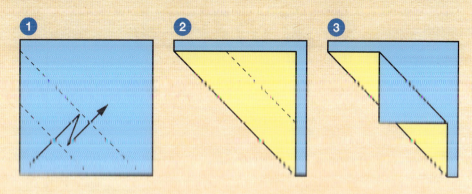

中割り折り
折り目をつけてから、中におしこみます。

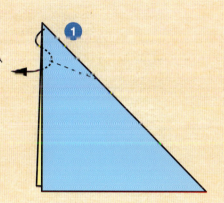
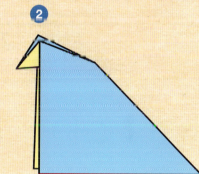

かぶせ折り
折り目をつけてから、かぶせるように折ります。

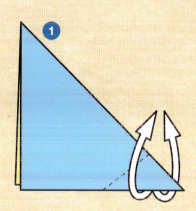
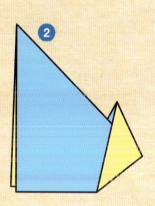

等分にする
長さや角度を等しく分けます。

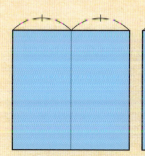
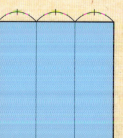
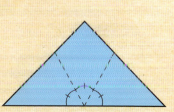

くまの花見

春 Spring

待ちに待った春のおとずれに喜ぶくまの親子。
さくらの花を舞わせて春らんまんを演出しましょう。

大きな作品

折り方ページ

- くま ▶P.50
- 花びら ▶P.51
- 切り紙のさくら・さくら ▶P.52
- 枝 ▶P.54

さくらの花や木の幹、川のせせらぎは、作品の大きさに合わせ、色画用紙などを切って自由に作ってみましょう。

小さな作品

春
夏
秋
冬
干支

プラスアイテム

バラン

お弁当のおかずの仕切りに使うバランを、背景の草として作品に足してみましょう。作品に合わせて簡単に切ることができます。

菜の花畑へ列車でゴー！

春 Spring

列車に乗って菜の花畑の遠足を楽しんでいるねこたち。
さまざまなねこの表情で、楽しさが伝わります。

大きな作品

折り方ページ

もんしろちょう	ねこ	てんとうむし	菜の花
▶P.55	▶P.56	▶P.58	▶P.73

> 列車は作品の大きさに合わせ、おりがみなどを切って自由に作ってみましょう。

小さな作品

春 夏 秋 冬 干支

クレープ紙

ラッピングによく用いられるクレープ紙（特殊な加工でしわをつけた紙）を、菜の花の茎と葉っぱで使いましょう。紙の質感がかわると菜の花の存在感が増して目を引きます。

プラスアイテム

はりねずみのいちご狩り

春 Spring

いちご狩りに夢中なはりねずみたち。
ほのぼのした雰囲気の、かわいらしい作品です。

大きな作品

折り方ページ

いちご
▶ P.59

はりねずみ
▶ P.60

葉っぱ
▶ P.62

いちごの花
▶ P.63

小さな作品

春 夏 秋 冬 干支

プラスアイテム

造花

造花の葉っぱを好きなサイズに切って、いちごと一緒に飾りましょう。作品の立体感が増します。

ももんがの空中さんぽ

春 Spring

青空をこいのぼりと一緒に飛び回るももんが親子。
元気いっぱいで躍動感のある楽しい作品です。

大きな作品

折り方ページ

ももんが
▶P.64

こいのぼり
▶P.66

くも
▶P.67

四つ葉のクローバー
▶P.68

小さな作品

三つ葉の
クローバー
▶ P.69

春　夏　秋　冬　干支

プラスアイテム

丸シール

丸シールを半分に切って、こいのぼりのうろこに見立てて貼ってみましょう。好きな色の丸シールを自由に使用して、カラフルなこいのぼりにしても良いですね。

フラミンゴの贈り物

春 Spring

母の日に合わせて、カーネーションを準備するフラミンゴ。
華やかで美しい作品にまとまります。

大きな作品

折り方ページ

フラミンゴ
▶P.70

カーネーション
▶P.72

くも
▶P.67

小さな作品

春
夏
秋
冬
干支

ストロー

カーネーションに、緑のストローの茎を組み合わせて、立体感を出してみましょう。壁面作品だけでなく、メッセージカードに添えてもかわいらしいです。

プラスアイテム

虹空とカエルの大合唱

虹が出て、大喜びのカエルたち。
あじさいのそばで、ぴょんぴょんカエルも楽しげです。

大きな作品

折り方ページ

あじさい
▶P.73

ぴょんぴょんカエル
▶P.74

カエル（顔）
▶P.76

太陽
▶P.77

虹や音符は、作品の大きさやカエルの数に合わせ、色画用紙などを切って自由に作ってみましょう。

小さな作品

春 夏 秋 冬 干支

葉っぱ
▶P.62
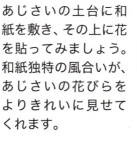

プラスアイテム

和紙

あじさいの土台に和紙を敷き、その上に花を貼ってみましょう。和紙独特の風合いが、あじさいの花びらをよりきれいに見せてくれます。

コアラの七夕

夏 Summer

いつもは寝てばかりのコアラも、今日は星に願いを……。
キラキラ星をたくさん飾ってきらびやかに。

大きな作品

折り方ページ

コアラ(全身)
▶P.78

ひこぼし(着物)
▶P.80

おりひめ(着物)
▶P.81

コアラ(顔)
▶P.82

笹の葉
▶P.83

はさみぼし
▶P.84

笹や短冊は作品の大きさに合わせ、おりがみなどを切って自由に作ってみましょう。

小さな作品

皆が健康でありますように

春 夏 秋 冬 干支

アミ飾り
▶ P.85

キラキラのり

はさみぼしに、キラキラのりを塗って作品のポイントにしてみましょう。さりげないキラキラで美しい作品に仕上がります。

プラスアイテム

夏 Summer

大海原にくじら登場

大きな海にくじらが遊びにきています。
海の生き物も集まるにぎやかで元気な夏らしい作品です。

大きな作品

折り方ページ

くじら
▶P.86

かもめ
▶P.89

かに
▶P.88

さかな
▶P.91

エンゼルフィッシュ
▶P.90

あさがお
▶P.92

海や砂浜、入道雲は作品の大きさに合わせ、色画用紙などを切って自由に作ってみましょう。

小さな作品

春 夏 秋 冬 干支

プラスアイテム

モール
あさがおのつるやくじらの潮吹き部分を、モールを使用して作ってみましょう。簡単に曲線が作れて、かわいい作品にしあがります。

葉っぱ
▶ P.62

23

夏 Summer

かめのひまわり観賞会

太陽のように咲くひまわりが大好きな仲良しかめたち。
おやこがめはおりがみ1枚で折ることができます。

大きな作品

折り方ページ

おやこがめ
▶ P.94

かめ
▶ P.95

ひまわり
▶ P.96

ひまわりのたね
▶ P.97

葉っぱ
▶ P.62

小さな作品

春 夏 秋 冬 干支

キルト芯

入道雲はキルト芯を使用しています。雲のもくもく感がリアルになって、夏空の雰囲気がよりいっそう強くなります。

プラスアイテム

夏 Summer ★ 夏の夜の風物詩

花火と金魚が、華やかな夏の一場面。
赤や黄緑の立体的なほおずきがすてきな作品。

大きな作品

折り方ページ

金魚
▶P.98

ほおずき
▶P.100

花火1
▶P.102

花火2
▶P.104

金魚が泳ぐ池は、作品の大きさに合わせ自由に作ってみましょう。

小さな作品

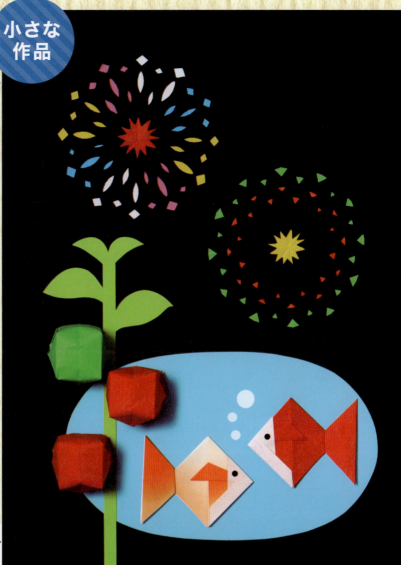

春 夏 秋 冬 干支

葉っぱ
▶P.62

プラスアイテム

カラービニール
金魚が泳ぐ池は、青色のカラービニールを使用して作ってみましょう。水のゆらめきと光沢感が演出できます。

キツネの紅葉狩り

美しい紅葉で秋色に染まる森の中。
キツネもトンボも深まる秋を楽しんでいます。

大きな作品

折り方ページ

キツネ ▶P.105

もみじ ▶P.106

トンボ ▶P.108

葉っぱ ▶P.62

小さな作品

春 夏 秋 冬 干支

造花の枝

造花の枝に、もみじを飾ってみましょう。本物のような枝が、おりがみで折ったもみじの美しさを際立たせます。

プラスアイテム

ふくろうのハロウィン

森の賢者とも言われるふくろうも、ハロウィンに参加。
かぼちゃのランタンに好きな表情をつけて楽しい作品に。

大きな作品

折り方ページ

かぼちゃのおばけ
▶P.109

ふくろう
▶P.110

魔女
▶P.112

コウモリ
▶P.113

小さな作品

春 夏 秋 冬 干支

プラスアイテム

麻ひも

魔女が乗っているほうきを、麻ひもを使用して作ってみましょう。作品のワンポイントにもなっている魔女の存在感がより増します。

リスのどんぐり集め

収穫の秋。リスたちはどんぐり集めに大忙し。
紅葉した鮮やかな木々もきれいな作品です。

大きな作品

折り方ページ

リス
▶P.114

どんぐり
▶P.115

木
▶P.116

葉っぱ
▶P.62

枝や大きな木は、作品の大きさに合わせ、色画用紙などを切って自由に作ってみましょう。

小さな作品

春 夏 秋 冬 干支

プラスアイテム

段ボール

段ボールの質感をいかして、枝を作ってみましょう。立体的になった枝にリスや葉っぱ、どんぐりなどをバランス良く飾り、すてきな作品に仕上げます。

たぬきの焼き芋大会

たき火を囲んで、たぬきの楽しい焼き芋大会。
優しい色のコスモスをたくさん飾って秋らしさを演出します。

大きな作品

折り方ページ

コスモス
▶P.117

たぬき
▶P.118

きのこ
▶P.120

たき火や焼き芋、コスモスの茎は作品やたぬきの大きさに合わせ、おりがみなどを切って自由に作ってみましょう。

小さな作品

紙バンド

たき火の薪を紙バンドを使用して作ってみましょう。紙バンドのデコボコが、木目のように見えて本物の薪のようです。ハサミで好きな大きさに切ることができます。

プラスアイテム

大忙しのトナカイ

プレゼントを届けに飛び回るトナカイ。
雪の結晶やポインセチアが、冬空に映えます。

大きな作品

折り方ページ

ポインセチア
▶P.121

トナカイ
▶P.122

雪の結晶1
▶P.124

雪の結晶2・3
▶P.125

プレゼントボックス
▶P.126

そりはプレゼントの数や大きさに合わせ、おりがみなどを切って自由に作ってみましょう。

小さな作品

春 夏 秋 冬 干支

りぼん

好きな柄のりぼんを、おりがみで折ったプレゼントボックスにつけ加えてみましょう。個性のある楽しい作品に仕上げることができます。

プラスアイテム

きりんのたこあげ

Winter

背の高いきりんより、もっと高い空をおよぐたこ。
立派な門松がお正月らしさを演出してくれます。

大きな作品

折り方ページ

やっこだこ
▶P.127

きりん
▶P.128

門松
▶P.130

くも
▶P.67

小さな作品

春 夏 秋 冬 干支

紙テープとたこ糸

たこの飾りに、紙テープとたこ糸を足してみましょう。紙テープの先端は鉛筆などを使用してくるくる巻くと動きがでて、風に揺らいでいる雰囲気がでます。

プラスアイテム

豆まきペンギン

冬 Winter

豆まき大会に、なんとペンギンも参加です！
オニの表情をいろいろとかえて、個性を出しても楽しいです。

大きな作品

折り方ページ

ペンギン
▶P.132

ひいらぎ
▶P.133

オニ（顔）
▶P.134

オニ（体・パンツ）
▶P.135

豆を入れるますは、色画用紙やおりがみなどを切って、自由に作ってみましょう。

小さな作品

春 夏 秋 冬 干支

お花紙

お花紙を丸めて、豆を作ってみましょう。小さな豆も、立体的になるのでよく目立ち、作品全体がよりいきいきとしたものになります。

プラスアイテム

梅の花
▶P.63

ひつじのひなまつり

ひな壇にはおだいりさまとおひなさま、それにひつじも登場。桃の花を飾って華やかなひなまつり会のはじまりです。

大きな作品

折り方ページ

ひつじ	おびな	めびな	桃の花
▶P.136	▶P.138	▶P.139	▶P.63

小さな作品

ひな壇やびょうぶは、作品を飾る場所の大きさに合わせ、色画用紙などを自由に切って作ってみましょう。

春 夏 秋 冬 干支

フェルト

おびなやめびななどを飾っているひな壇を、フェルト生地を使用して作ってみましょう。全体的にあたたかい雰囲気のある作品が完成します。

プラスアイテム

十二支大集合!

十二支の動物が勢ぞろい。お正月らしい晴れやかな雰囲気が楽しい、見応えある作品です。

大きな作品

干支の動物おりがみに、自由に背景を組み合わせて作品を作ってみましょう。

子

折り方 P.140

丑

折り方 P.142

寅

折り方 P.144

卯

折り方 P.146

辰

折り方 P.148

巳

折り方 P.150

午

折り方 P.152

未

折り方 P.136

さる 申	とり 酉

折り方 ▶ P.145	折り方 ▶ P.154
いぬ 戌	い 亥

折り方 ▶ P.156	折り方 ▶ P.158

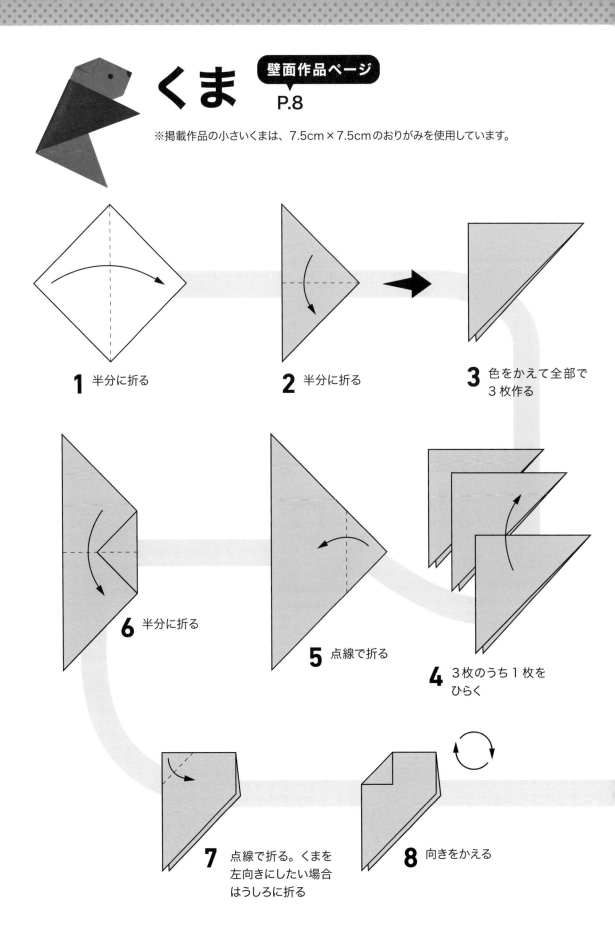

9 残った紙にのりをつけて差しこみ体を作る

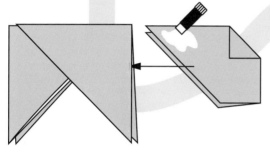

10 手順8で折った紙にのりをつけて体に差しこむ

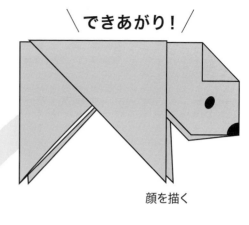

できあがり！
顔を描く

花びら 壁面作品ページ P.8

※掲載作品は、4cm×4cmのおりがみを使用しています。

1 半分に折る

2 太線にそってハサミで切る

3 ひろげる

できあがり！

切り紙のさくら
さくら

壁面作品ページ
P.8

※掲載作品の切り紙のさくらは、5cm×5cmのおりがみを使用しています。
※掲載作品のさくらは、10cm×10cmのおりがみを使用しています。

1 半分に折る

2 点線で折って折り目をつける

3 点線で折って折り目をつける

4 ★と★が重なるように折る

5 点線で折る

6 点線で折る

7 点線でうしろに折る

8 太線にそってハサミで切る

9 ひろげる

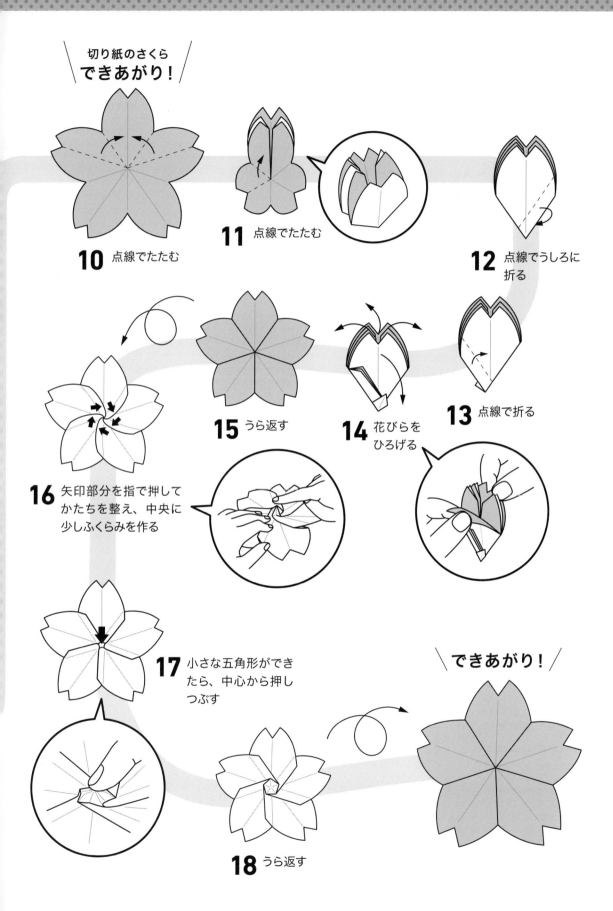

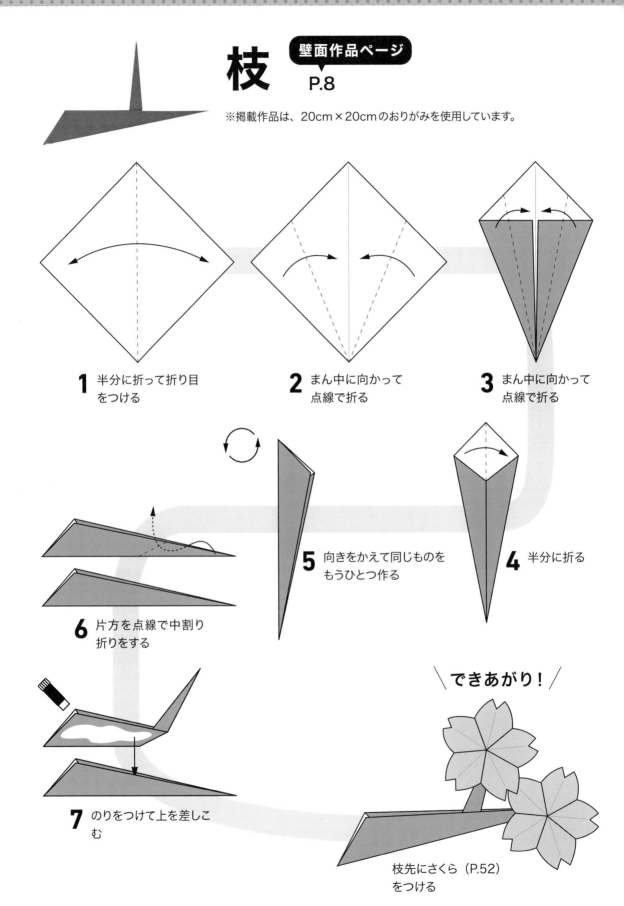

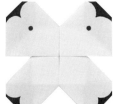
もんしろちょう

壁面作品ページ P.10

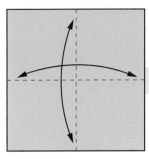

1 たてよこ半分に折って折り目をつける

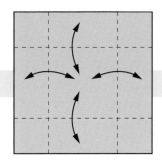

2 まん中に向かって点線で折って折り目をつける

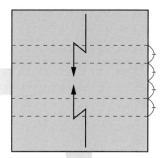

3 点線で段折りをする

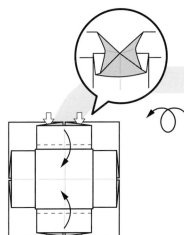

6 ⇨からひらいてつぶす

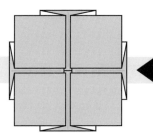

5 うら返す

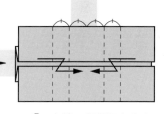

4 点線で段折りをする

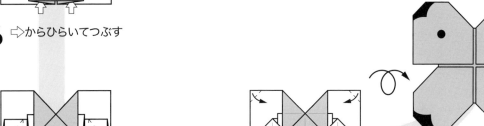

7 ⇨からひらいてつぶす

8 点線で折ってうら返す

できあがり！

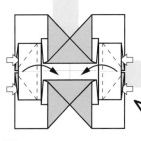

羽のもようを描く

ねこ

壁面作品ページ P.10

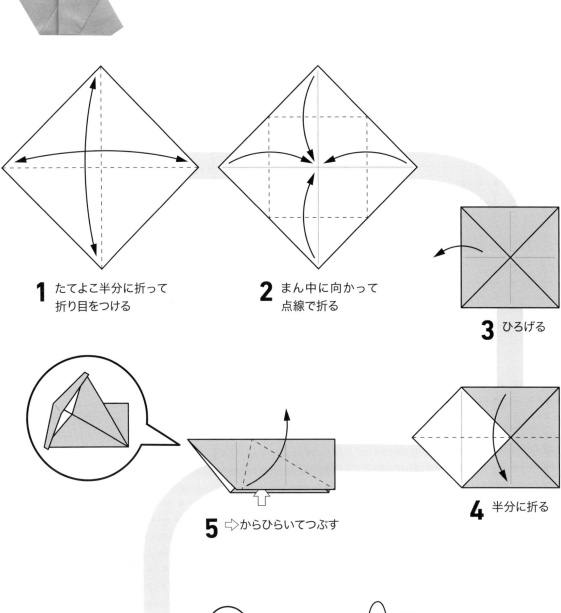

1 たてよこ半分に折って折り目をつける

2 まん中に向かって点線で折る

3 ひろげる

4 半分に折る

5 ⇨からひらいてつぶす

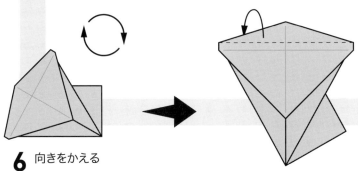

6 向きをかえる

7 点線でうしろに折る

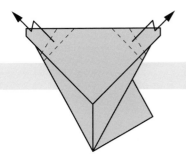

8 点線で段折りをする

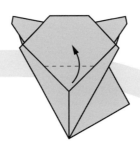

9 点線で折る

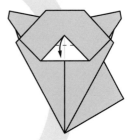

10 点線で折る

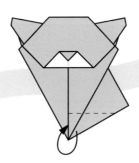

11 上の紙を点線で内側に折る

12 点線で内側に折る

\ できあがり! /

顔を描く

てんとうむし

壁面作品ページ P.10

※掲載作品は、7.5cm×7.5cmのおりがみを使用しています。

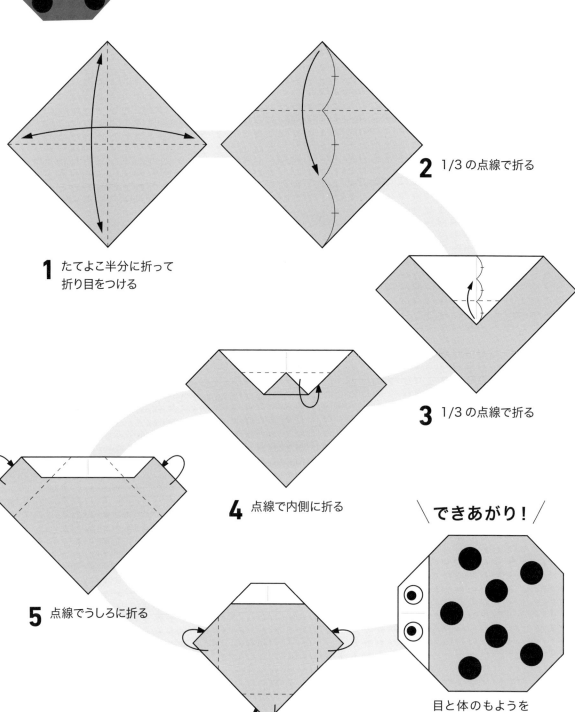

1 たてよこ半分に折って折り目をつける

2 1/3の点線で折る

3 1/3の点線で折る

4 点線で内側に折る

5 点線でうしろに折る

6 点線でうしろに折る

できあがり！

目と体のもようを描く

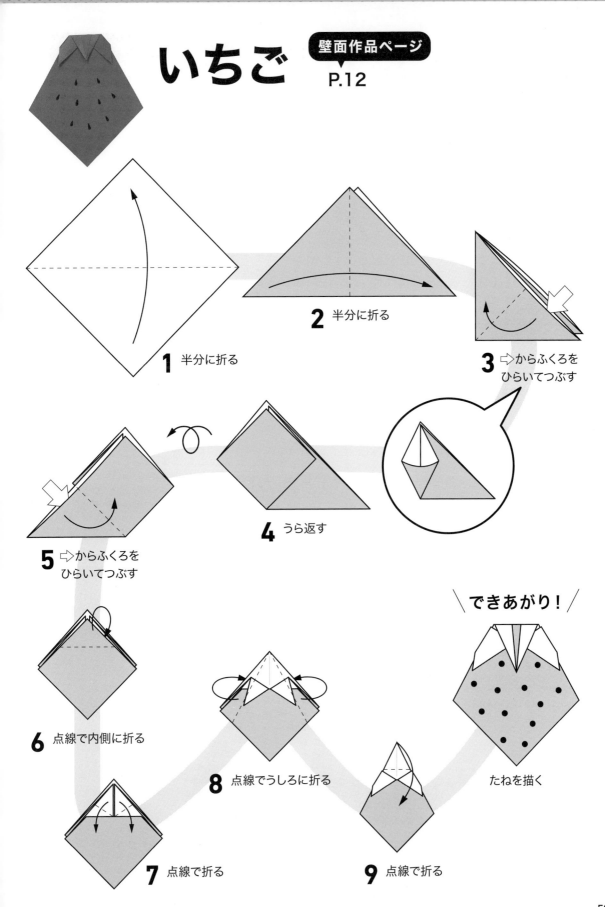

はりねずみ

壁面作品ページ P.12

※壁面作品の大きいはりねずみは10cm×10cm、小さいはりねずみは7.5cm×7.5cmのおりがみを使用しています。

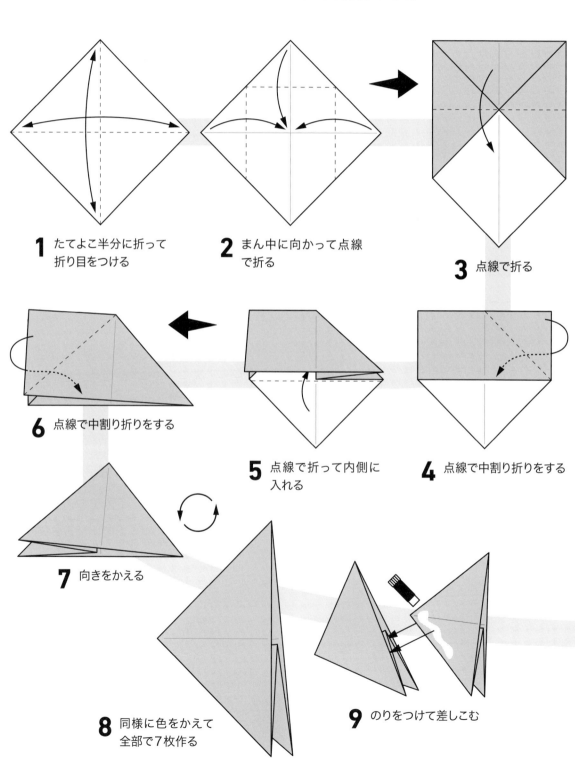

1 たてよこ半分に折って折り目をつける

2 まん中に向かって点線で折る

3 点線で折る

4 点線で中割り折りをする

5 点線で折って内側に入れる

6 点線で中割り折りをする

7 向きをかえる

8 同様に色をかえて全部で7枚作る

9 のりをつけて差しこむ

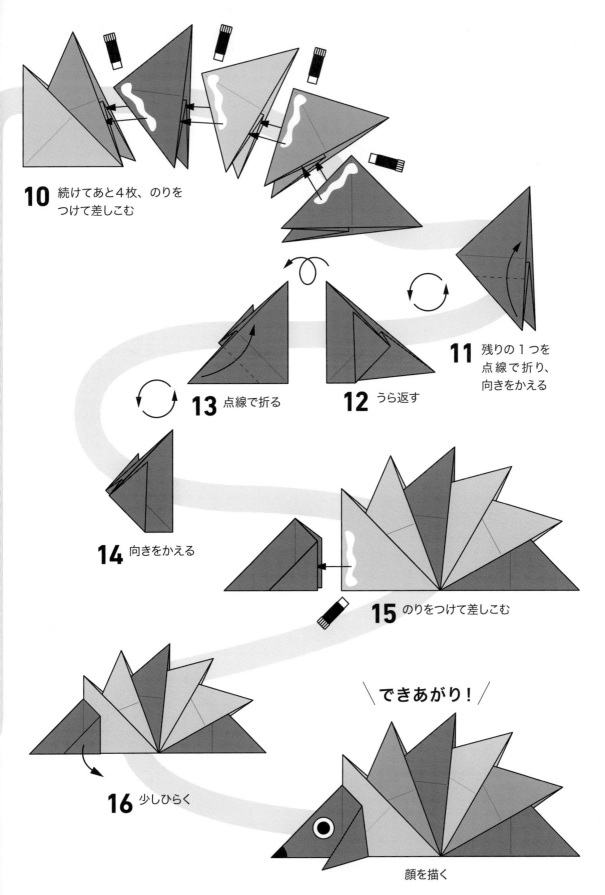

葉っぱ

壁面作品ページ
P.12、P.18、P.22、P.24、P.26、P.28、P.32

※掲載作品は、7.5cm×7.5cmのおりがみを使用しています。
※緑色の折り紙を使えば若葉、茶色なら枯れ葉になります。

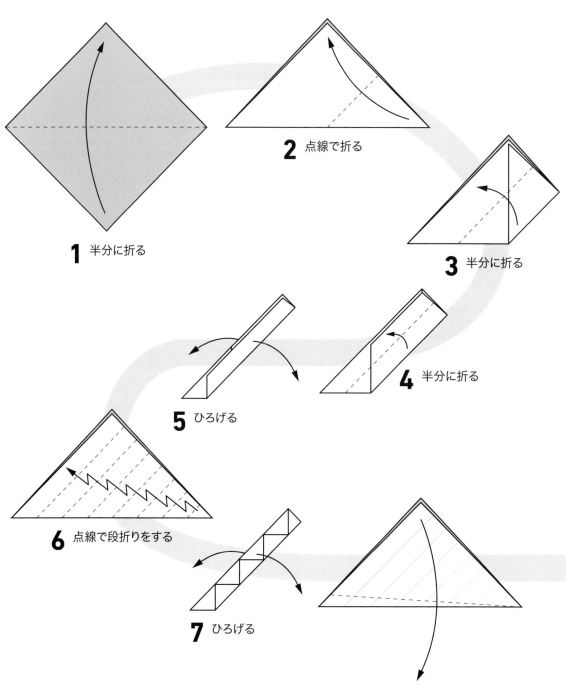

1 半分に折る
2 点線で折る
3 半分に折る
4 半分に折る
5 ひろげる
6 点線で段折りをする
7 ひろげる
8 上の紙を点線で折ってひらく

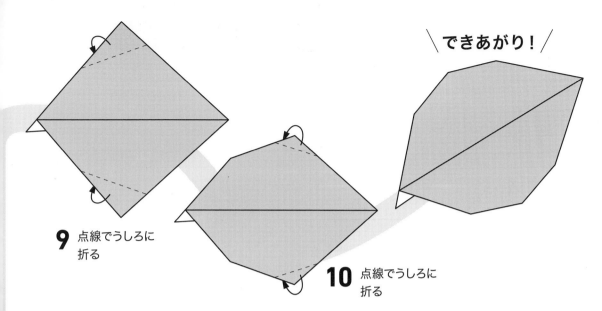

9 点線でうしろに折る

10 点線でうしろに折る

できあがり！

いちごの花・梅の花・桃の花

※さくら（P.52）の手順**7**まで折ってから、切ってください。
※掲載作品は、7.5cm×7.5cmのおりがみを使用しています。

壁面作品ページ P.12、P.40、P.42、P.44

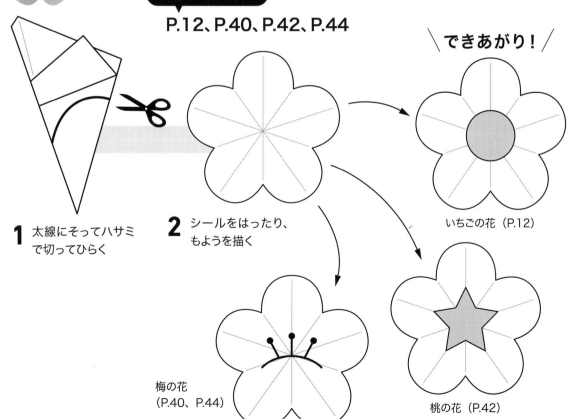

1 太線にそってハサミで切ってひらく

2 シールをはったり、もようを描く

いちごの花（P.12）

梅の花（P.40、P.44）

桃の花（P.42）

できあがり！

ももんが

壁面作品ページ P.14

※掲載作品の小さいももんがは、7.5cm×7.5cmのおりがみを使用しています。

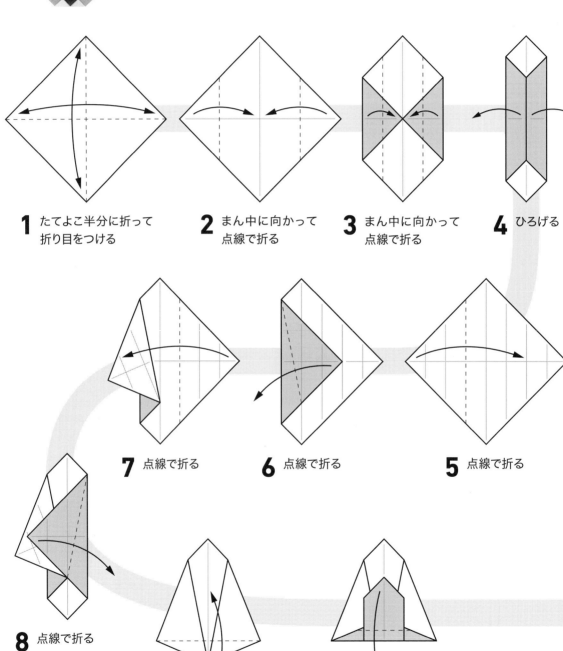

1 たてよこ半分に折って折り目をつける
2 まん中に向かって点線で折る
3 まん中に向かって点線で折る
4 ひろげる
5 点線で折る
6 点線で折る
7 点線で折る
8 点線で折る
9 点線で折る
10 点線で折る

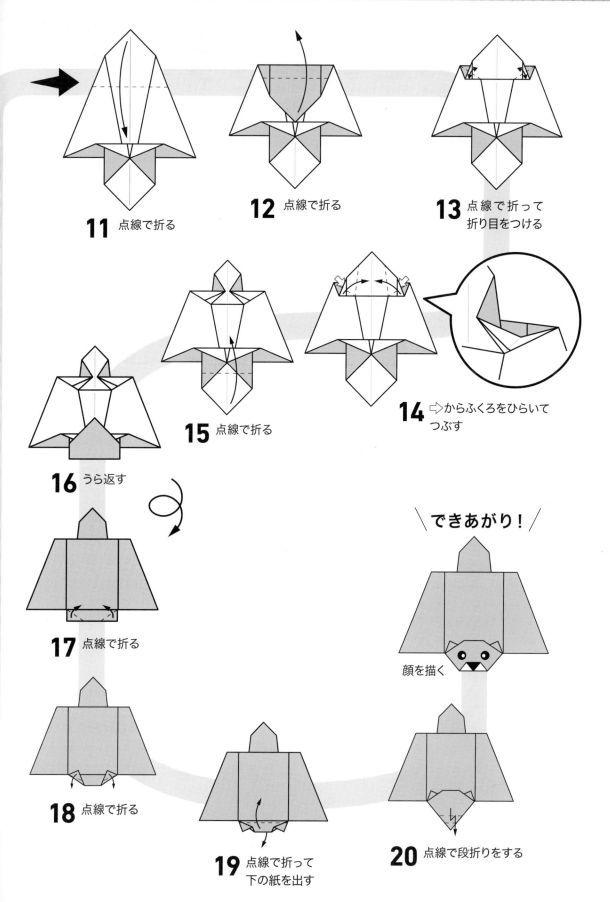

こいのぼり

壁面作品ページ P.14

※掲載作品は、20cm×20cmのおりがみを使用しています。

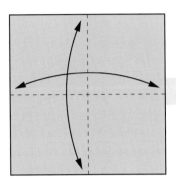

1 たてよこ半分に折って折り目をつける

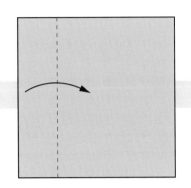

2 まん中に向かって点線で折る

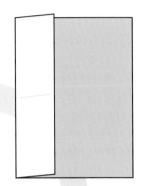

3 うら返す

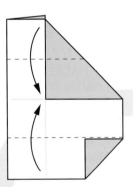

6 まん中に向かって点線で折る

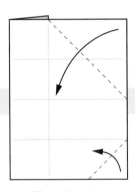

5 点線で折る

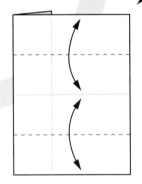

4 まん中に向かって点線で折って折り目をつける

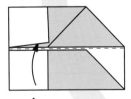

7 点線で折って下の紙を上のすそに差しこむ

8 うら返す

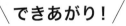

\ できあがり！ /

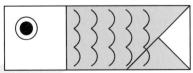

目とうろこを描く

くも

壁面作品ページ
P.14、P.16、P.38

※掲載作品の小さいくもは、7.5cm×7.5cmのおりがみを使用しています。
※手順2以降を左右逆に折ると、反転したくもができます。

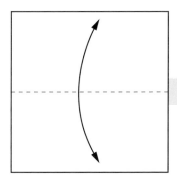

1 半分に折って折り目をつける

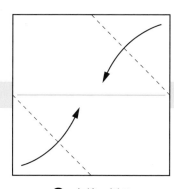

2 点線で折る

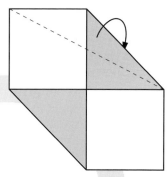

3 点線でうしろに折る

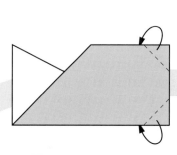

5 点線でうしろに折る

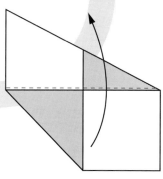

4 点線で折る

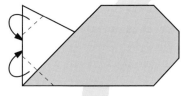

6 点線でうしろに折る

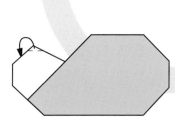

7 点線でうしろに折る

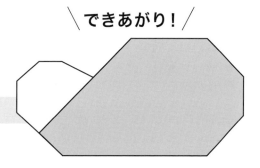

＼できあがり！／

四つ葉のクローバー

壁面作品ページ P.14

※掲載作品は、7.5cm×7.5cmのおりがみを使用しています。

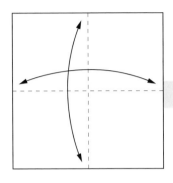

1 たてよこ半分に折って折り目をつける

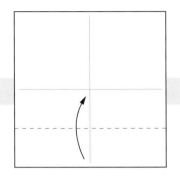

2 まん中に向かって点線で折る

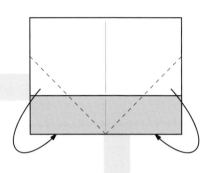

3 点線でうしろに折る

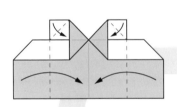

6 点線で折る

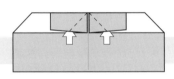

5 ⇨からひらいてつぶす

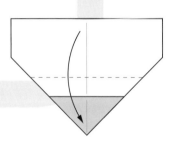

4 点線で折る

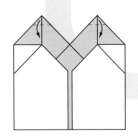

7 点線で折る

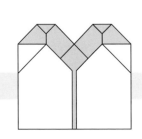

8 うら返す

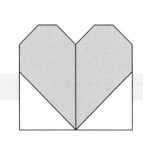

9 同様に全部で4枚作る

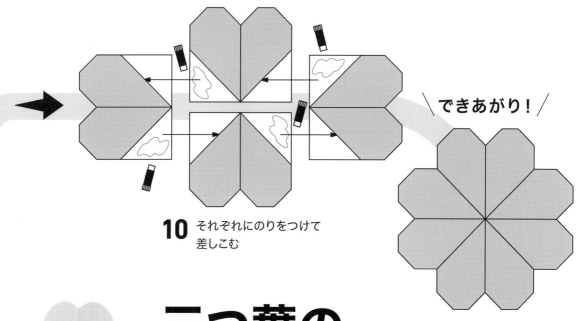

10 それぞれにのりをつけて差しこむ

できあがり！

三つ葉のクローバー

壁面作品ページ **P.14**

※雪の結晶(P.124)の手順**5**まで折ってから切ってください。

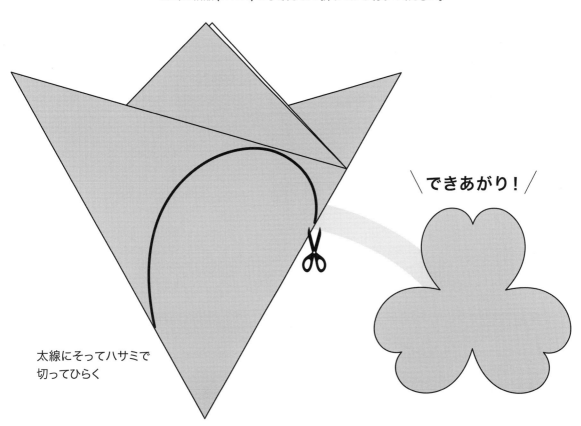

太線にそってハサミで切ってひらく

できあがり！

フラミンゴ

壁面作品ページ
P.16

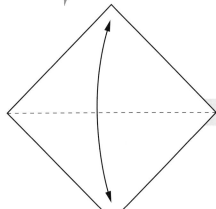

1 半分に折って折り目をつける

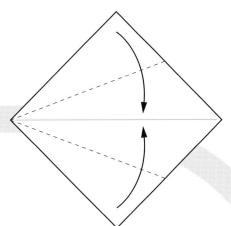

2 まん中に向かって点線で折る

3 点線で折って折り目をつける

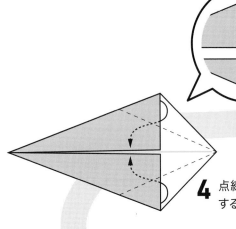

4 点線で中割り折りをする

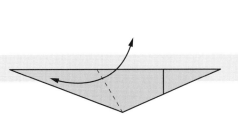

5 上半分を点線でうしろに折る

6 点線で折って折り目をつける

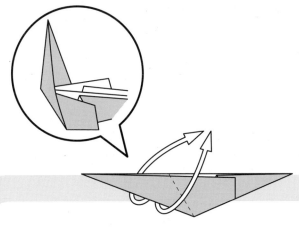

7 点線でかぶせ折りを
する

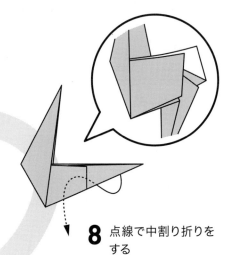

8 点線で中割り折りを
する

9 点線で折って折り目
をつける

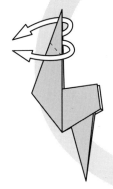

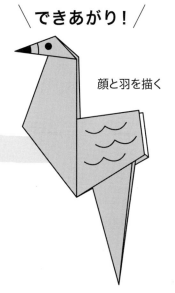

＼できあがり！／

顔と羽を描く

10 点線でかぶせ折りを
する

カーネーション

壁面作品ページ
P.16

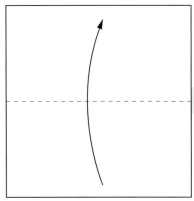

1 半分に折る

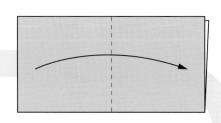

2 半分に折る

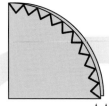

4 太線にそってハサミで切ってひらく

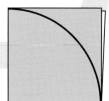

3 太線にそってハサミで切る

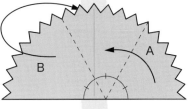

5 1/3の点線でAは前にBはうしろに折る

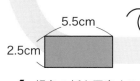

6 緑色の紙を用意する

7 緑色の紙のうら面にのりをつけて点線で折る

\ できあがり！ /

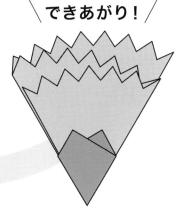

菜の花・あじさい

壁面作品ページ
P.10、P.18

※掲載作品は、7.5cm×7.5cmのおりがみを使用しています。
※黄色のおりがみで折ると菜の花(P.10)、むらさき色のおりがみで折るとあじさいになります。

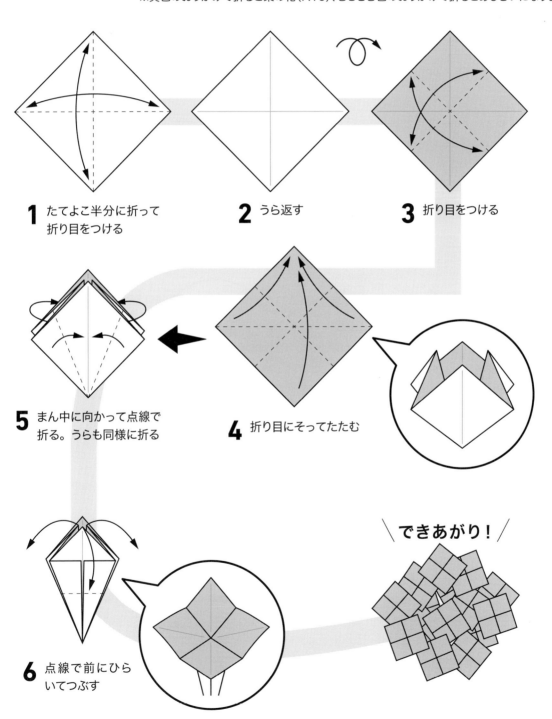

1 たてよこ半分に折って折り目をつける

2 うら返す

3 折り目をつける

4 折り目にそってたたむ

5 まん中に向かって点線で折る。うらも同様に折る

6 点線で前にひらいてつぶす

\ できあがり！ /

ぴょんぴょんカエル

壁面作品ページ
P.18

※掲載作品は、20cm×20cmのおりがみを使用しています。

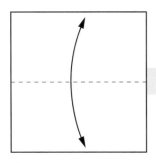

1 半分に折って折り目をつける

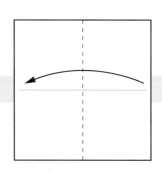

2 半分に折る

3 まん中に向かって折って折り目をつける

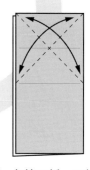

4 点線で折って折り目をつける

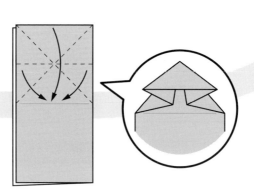

5 折り目にそってたたむ

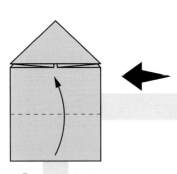

6 点線で折る

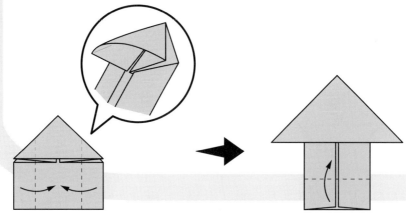

7 まん中に向かって点線で折る

8 点線で折る

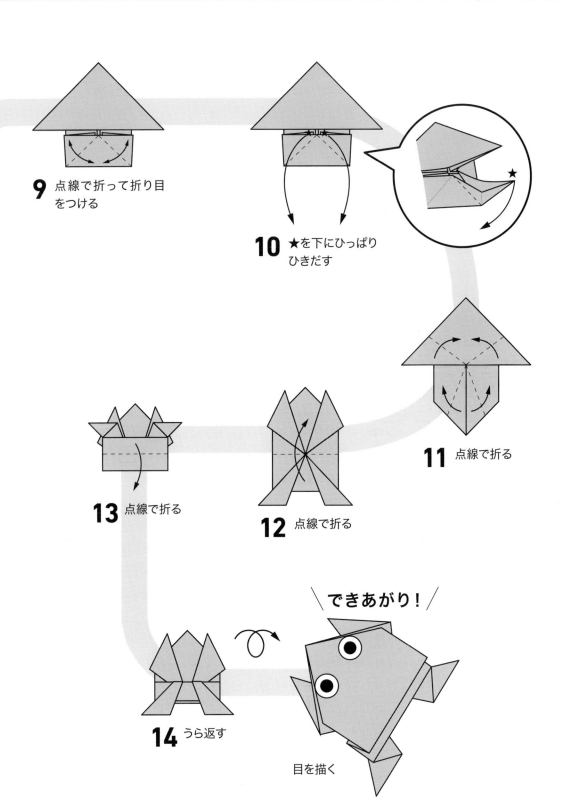

カエル（顔）

壁面作品ページ P.18

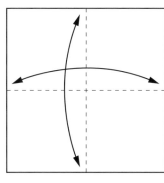

1 たてよこ半分に折って折り目をつける

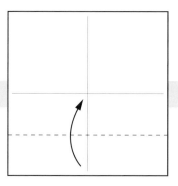

2 まん中に少しあきができるように点線で折る

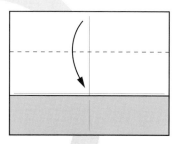

3 まん中に少しあきができるように点線で折る

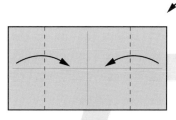

5 まん中にあきができるように点線で折る

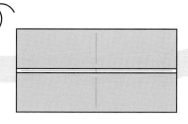

4 うら返す

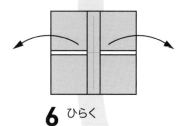

6 ひらく

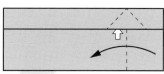

8 ⇨からひらいてつぶす

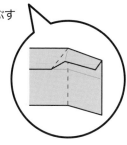

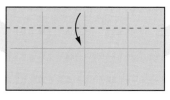

7 まん中に向かって点線で折る

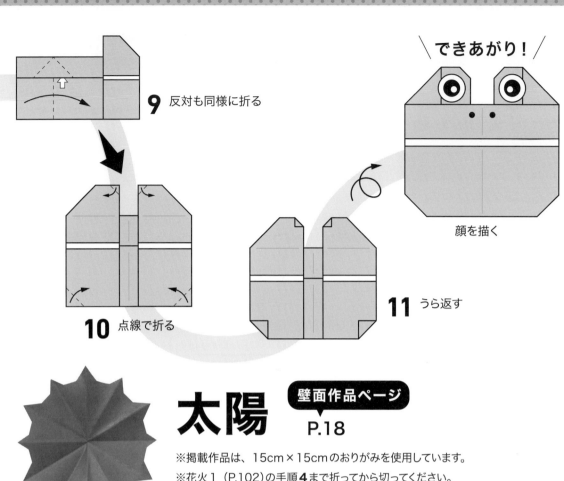

太陽

壁面作品ページ P.18

※掲載作品は、15cm×15cmのおりがみを使用しています。
※花火1（P.102）の手順**4**まで折ってから切ってください。

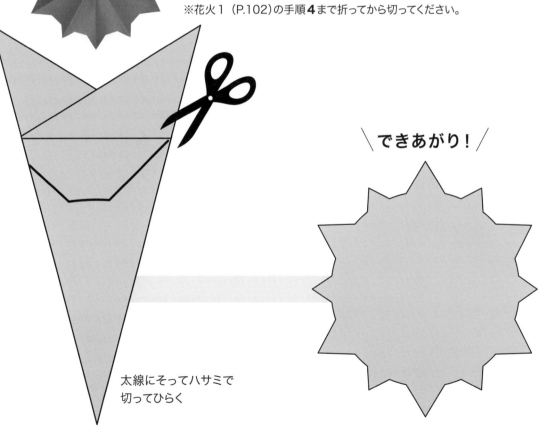

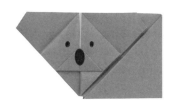

コアラ（全身）

壁面作品ページ P.20

※掲載作品の大きいコアラは、25cm×25cmのおりがみを使用しています。

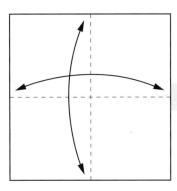

1 たてよこ半分に折って折り目をつける

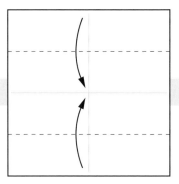

2 まん中に向かって点線で折る

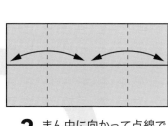

3 まん中に向かって点線で折って折り目をつける

5 ⇨からふくろをひらいてつぶす

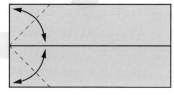

4 点線で折って折り目をつける

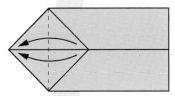

6 点線で折る

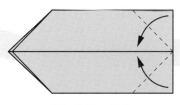

7 点線で折る

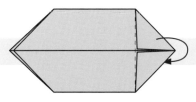

8 点線でうしろに折る

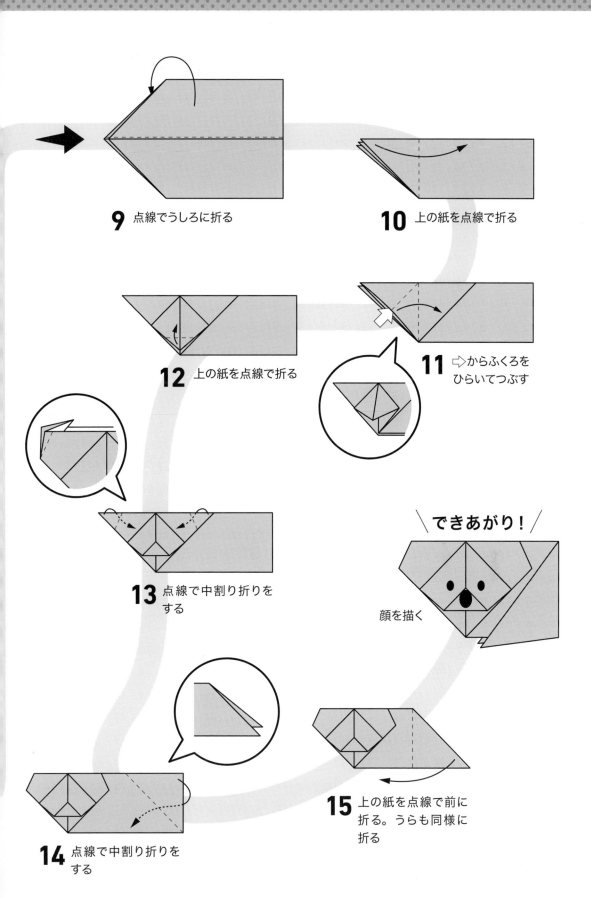

ひこぼし（着物）

壁面作品ページ P.20

※コアラの顔（P.82）をつけて使います。

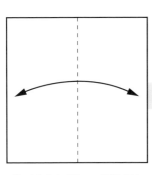

1 半分に折って折り目をつける

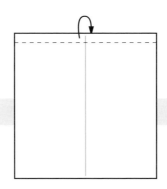

2 点線でうしろに折る

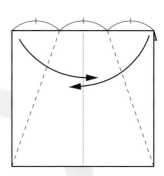

3 1/3の点線で左、右の順番に折る

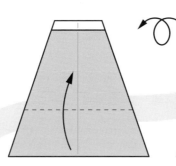

5 点線で折る

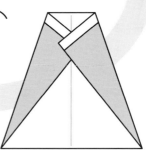

4 うら返す

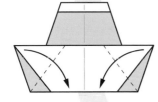

6 点線で折る

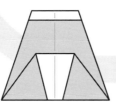

7 うら返す

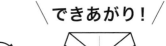

\ できあがり！ /

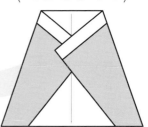

おりひめ（着物）

壁面作品ページ P.20

※コアラの顔(P.82)をつけて使います。

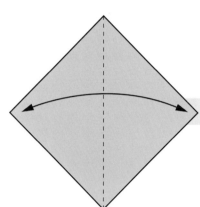

1 半分に折って折り目をつける

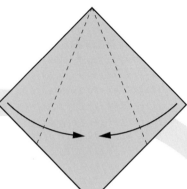

2 まん中に向かって点線で折る

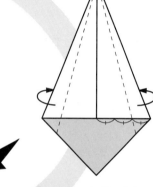

3 1/3の点線でうしろに折る

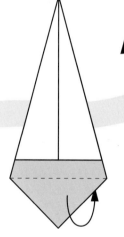

4 点線でうしろに折る

5 1/3の点線でうしろに折る

6 点線で折る

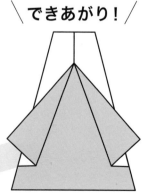

できあがり！

コアラ（顔）

壁面作品ページ P.20

※掲載作品は、10cm×10cmのおりがみを使用しています。

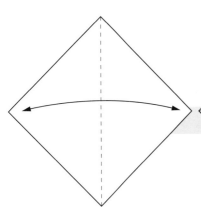

1 半分に折って折り目をつける

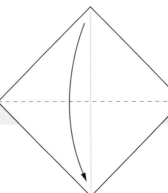

2 半分に折る

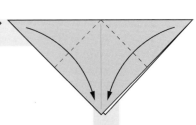

3 まん中に向かって点線で折る

6 うら返す

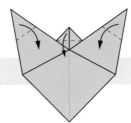

5 点線で折る

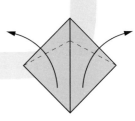

4 点線で折る

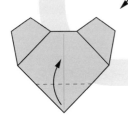

7 上の紙を点線で折る

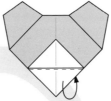
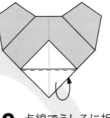

8 点線でうしろに折る

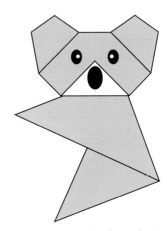

＼できあがり！／

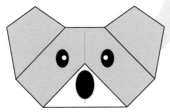

顔を描く

※コアラ（顔）にくまの体（P.51）をつけると、P.21の作品に出てくるコアラになります。
※この完成図は、コアラ（顔）とくまの体を同じ大きさのおりがみで折っています。

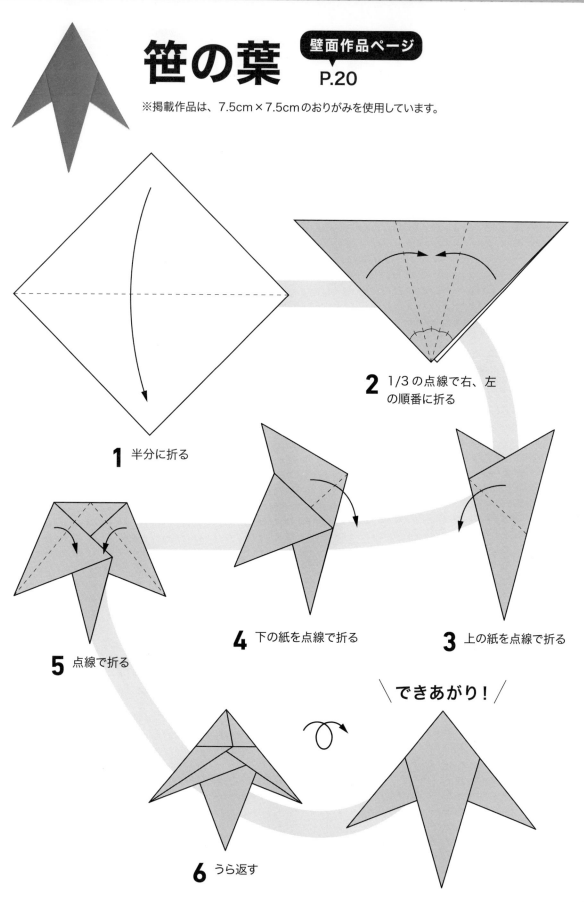

はさみぼし

壁面作品ページ P.20

※掲載作品は、7.5cm×7.5cmのおりがみを使用しています。

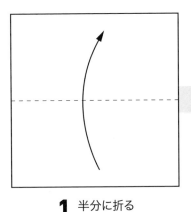

1 半分に折る

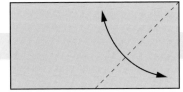

2 折り目をつけてもどす

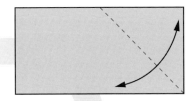

3 折り目をつけてもどす

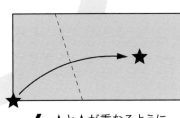

4 ★と★が重なるように折る

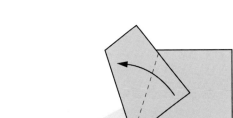

5 点線で折る

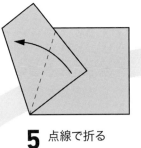

6 点線で折る

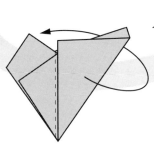

7 点線でうしろに折る

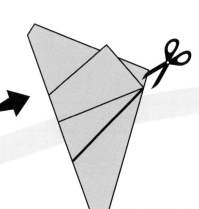

8 太線にそってハサミで切る

9 ひろげる

10 5ヵ所の点線をそれぞれ折って折り目をつける

できあがり！

アミ飾り

壁面作品ページ P.20

※掲載作品は、25cm×25cmのおりがみを使用しています。

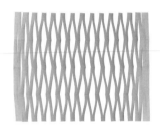

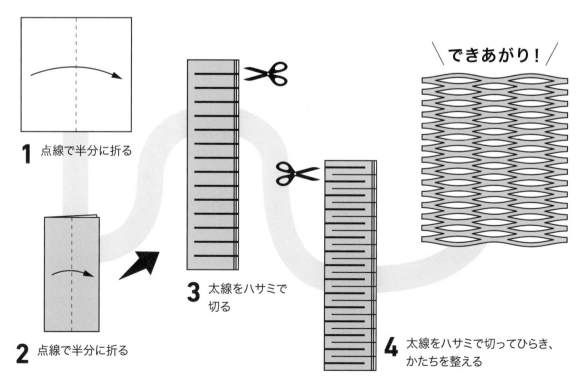

1 点線で半分に折る

2 点線で半分に折る

3 太線をハサミで切る

4 太線をハサミで切ってひらき、かたちを整える

できあがり！

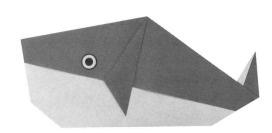

くじら

壁面作品ページ P.22

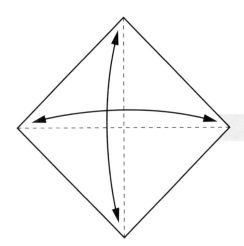

1 たてよこ半分に折って折り目をつける

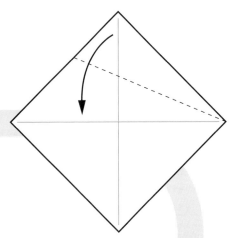

2 まん中に向かって点線で折る

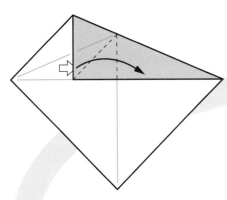

4 ⇨からひらいてつぶす

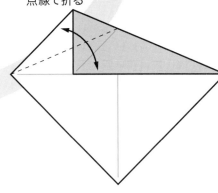

3 点線で折って折り目をつける

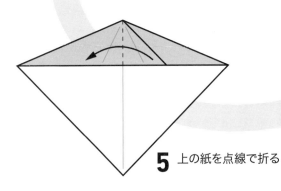

5 上の紙を点線で折る

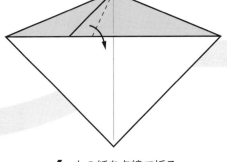

6 上の紙を点線で折る

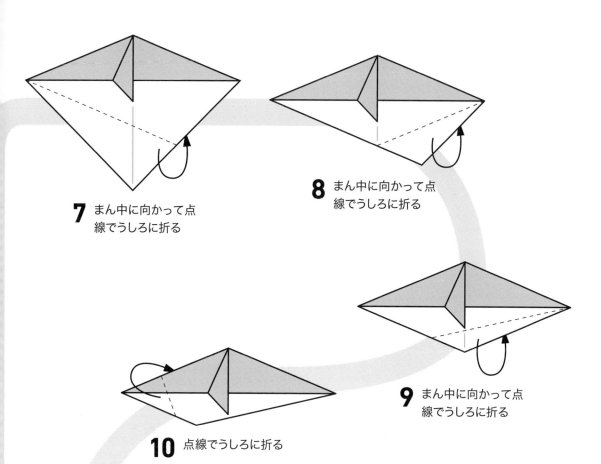

7 まん中に向かって点線でうしろに折る

8 まん中に向かって点線でうしろに折る

9 まん中に向かって点線でうしろに折る

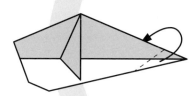

10 点線でうしろに折る

11 点線でうしろに折る

\ できあがり！ /

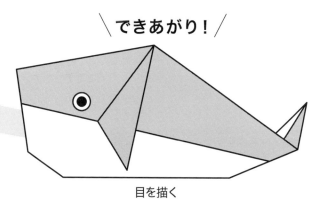

目を描く

かに

壁面作品ページ P.22

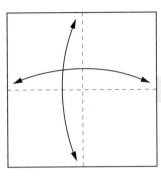

1 たてよこ半分に折って折り目をつける

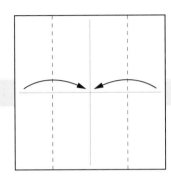

2 まん中に向かって点線で折る

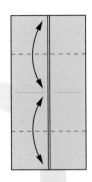

3 まん中に向かって点線で折って折り目をつける

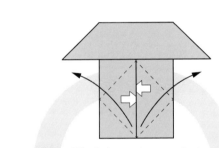

5 ⇨からひらいてつぶす

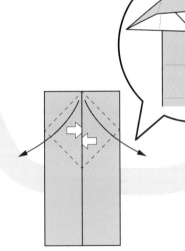

4 ⇨からひらいてつぶす

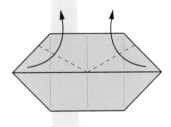

6 点線で折る

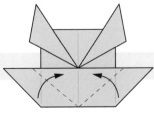

7 点線で折る

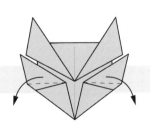

8 点線で折る

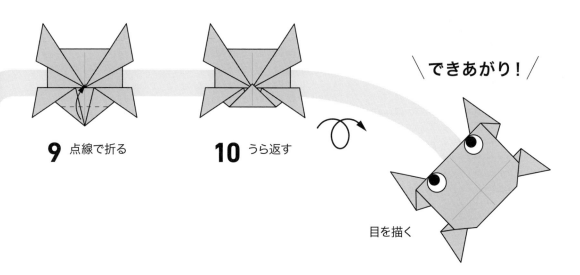

かもめ

壁面作品ページ P.22

※掲載作品は、7.5cm×7.5cmのおりがみを使用しています。

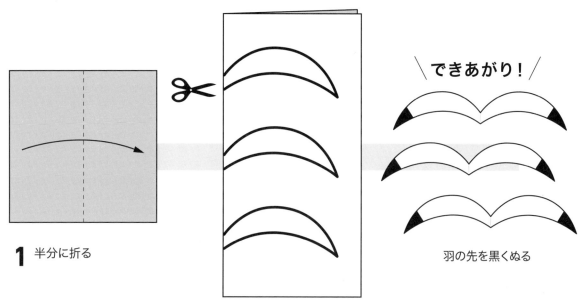

エンゼルフィッシュ

壁面作品ページ P.22

※掲載作品は、10cm×10cmのおりがみを使用しています。

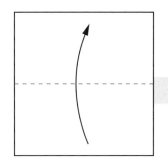

1 半分に折る

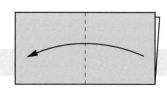

2 半分に折る

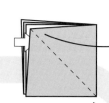

3 ⇨からふくろをひらいてつぶす

4 うら返す

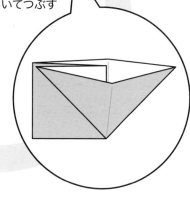

5 ⇨からふくろをひらいてつぶす

6 向きをかえる

7 1/3の点線で上の紙を折る

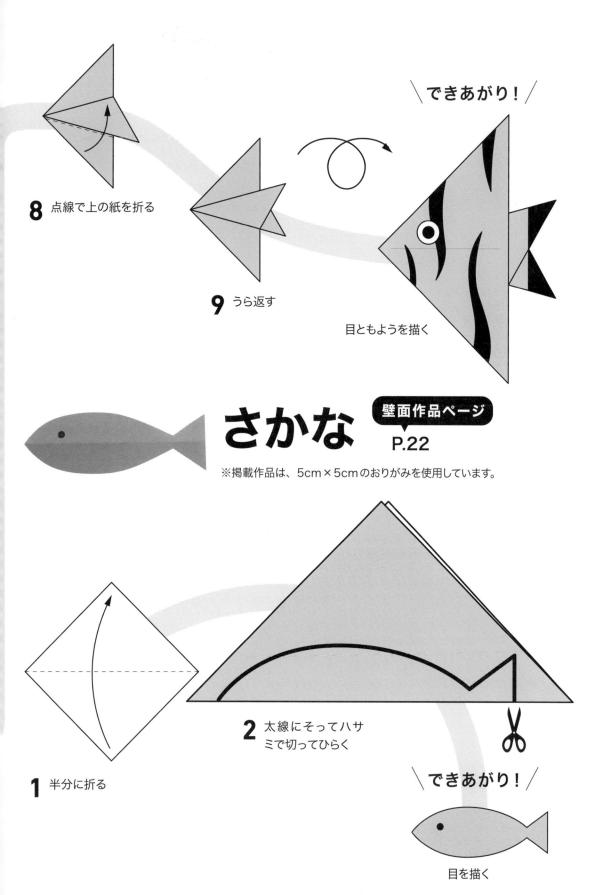

あさがお

壁面作品ページ P.22

※掲載作品は、20cm×20cmのおりがみを使用しています。

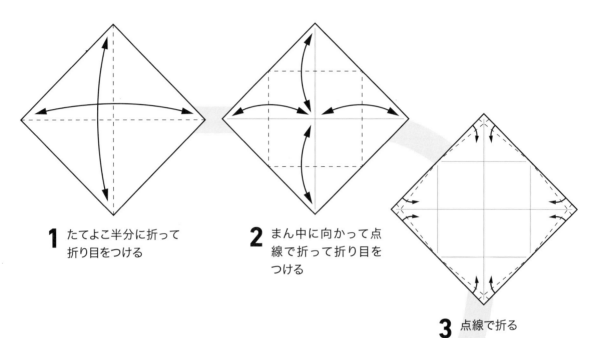

1 たてよこ半分に折って折り目をつける

2 まん中に向かって点線で折って折り目をつける

3 点線で折る

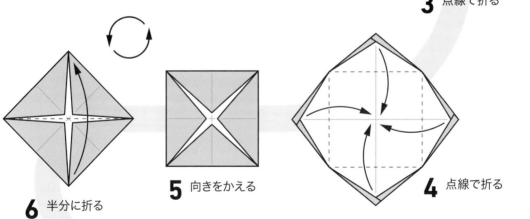

6 半分に折る

5 向きをかえる

4 点線で折る

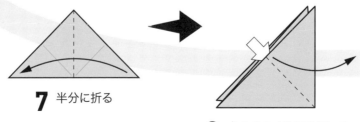

7 半分に折る

8 ⇨からふくろをひらいてつぶす

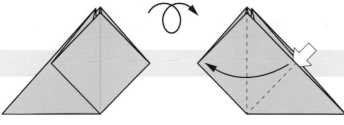
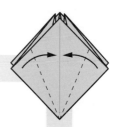

9 うら返す

10 ⇨からふくろをひらいてつぶす

11 まん中に向かって点線で折る。うらも同様に折る

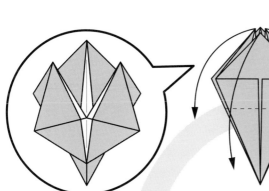
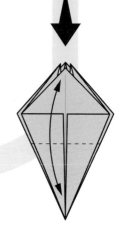

12 半分に折って折り目をつける

13 点線でひらいてつぶす

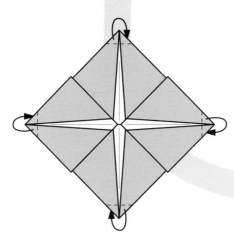
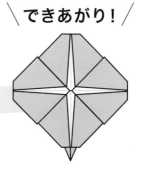

14 点線でうしろに折る

\ できあがり！/

おやこがめ

壁面作品ページ P.24

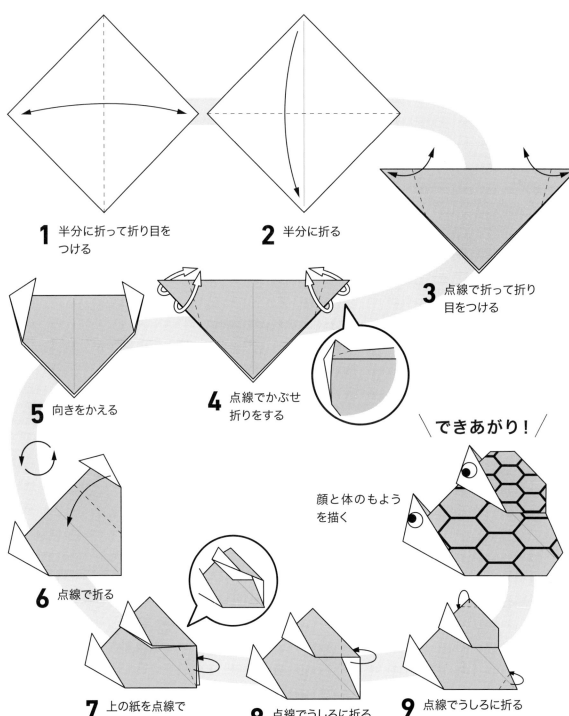

1 半分に折って折り目をつける

2 半分に折る

3 点線で折って折り目をつける

4 点線でかぶせ折りをする

5 向きをかえる

6 点線で折る

7 上の紙を点線で内側に折る

8 点線でうしろに折る

9 点線でうしろに折る

できあがり！

顔と体のもようを描く

かめ

壁面作品ページ P.24

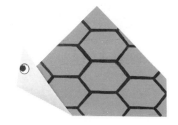

※掲載作品の小さいかめは、7.5cm×7.5cmのおりがみを使用しています。

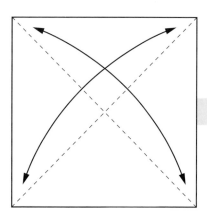

1 たてよこ半分に折って折り目をつける

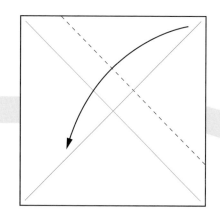

2 点線で折る

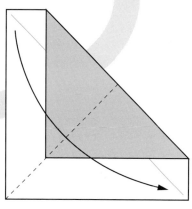

3 半分に折る

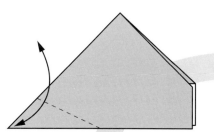

4 点線で折って折り目をつける

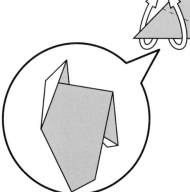

5 点線でかぶせ折りをする

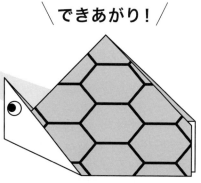

\ できあがり！ /

目と体のもようを描く

ひまわり

壁面作品ページ P.24

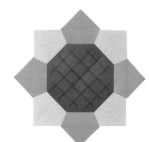

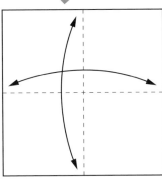

1 たてよこ半分に折って折り目をつける

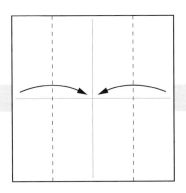

2 まん中に向かって点線で折る

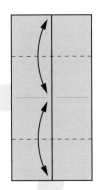

3 点線で折って折り目をつける

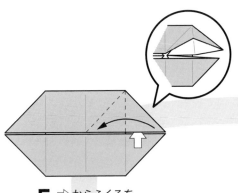

4 ⇨からひらいてつぶす

5 ⇨からふくろをひらいてつぶす

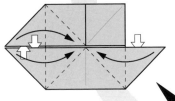

6 ほかの3ヵ所も⇨からふくろをひらいてつぶす

7 点線で折って折り目をつける

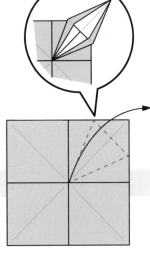

8 はしを持ち上げて、ひらいてつぶす

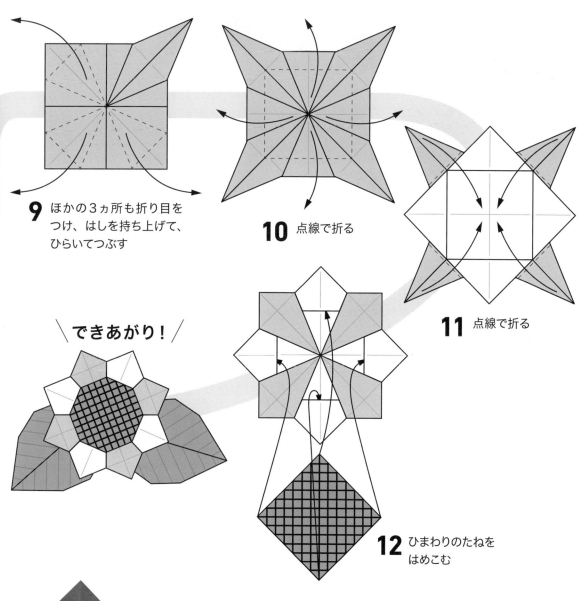

9 ほかの3ヵ所も折り目をつけ、はしを持ち上げて、ひらいてつぶす

10 点線で折る

11 点線で折る

12 ひまわりのたねをはめこむ

できあがり！

ひまわりのたね 壁面作品ページ P.24

※掲載作品は、7.5cm×7.5cmのおりがみを使用しています。

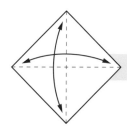

1 たてよこ半分に折って折り目をつける

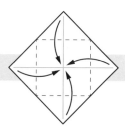

2 まん中に向かって点線で折る

3 うら返す

できあがり！

もようを描く

金魚

壁面作品ページ P.26

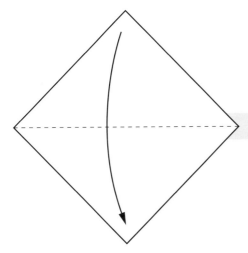

1 半分に折る

2 半分に折って折り目をつける

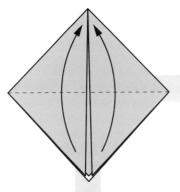

4 点線で折る

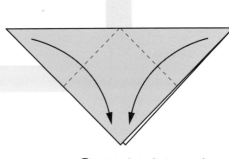

3 まん中に向かって点線で折る

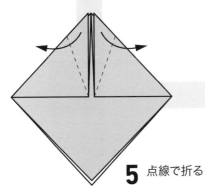

5 点線で折る

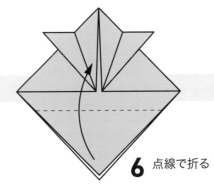

6 点線で折る

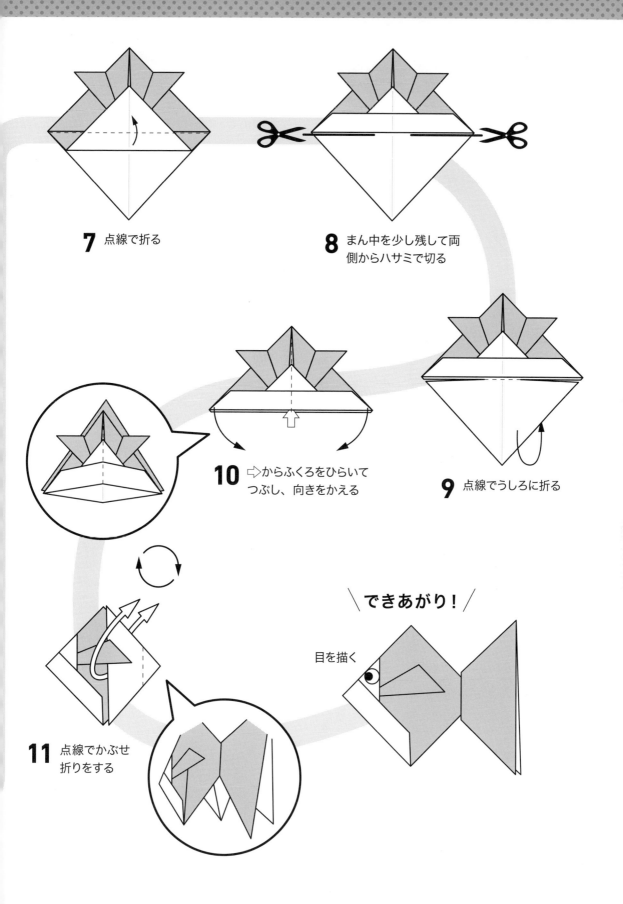

ほおずき

壁面作品ページ P.26

※本作品は、風船をほおずきに見立てて使用しています。

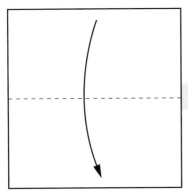

1 半分に折る

2 半分に折る

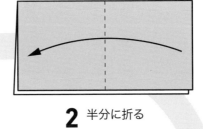

3 ⇨からふくろをひらいてつぶす

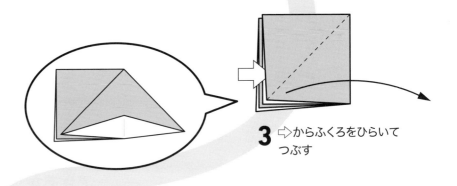

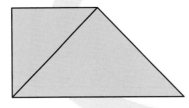

4 うら返す

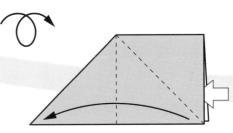

5 手順3と同様に⇨からふくろをひらいてつぶす

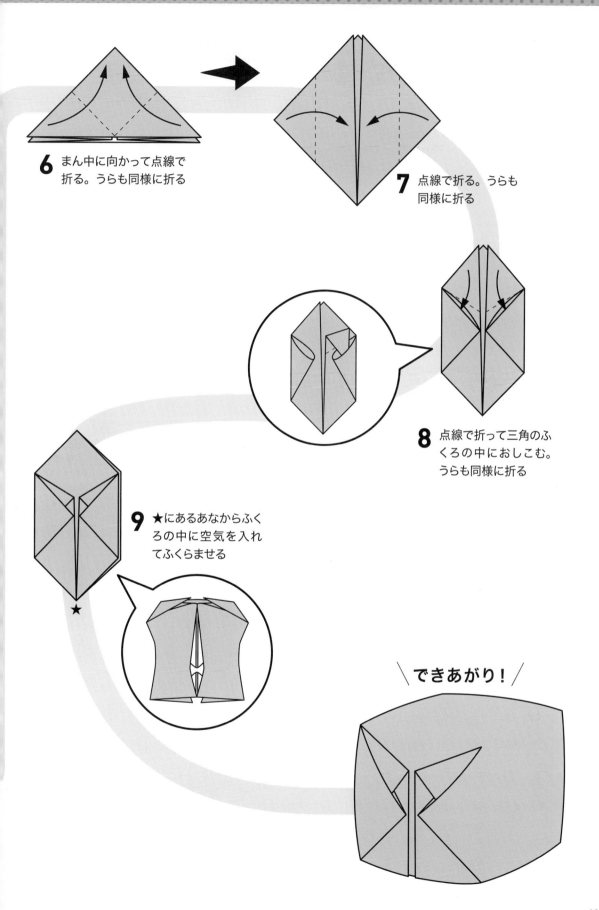

花火1

壁面作品ページ P.26

もよう

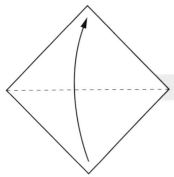

1 半分に折る

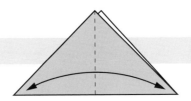

2 半分に折って折り目をつける

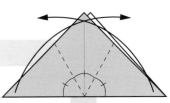

3 1/3の点線で左、右の順番に折る

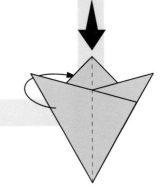

4 点線でうしろに折る

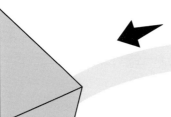

5 点線でうしろに折る

6 太線にそってハサミで切ってひらく

\ できあがり！ /

土台

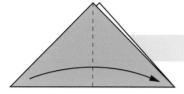

1 半分に折る

2 半分に折る

3 ハサミで切って
ひろげる

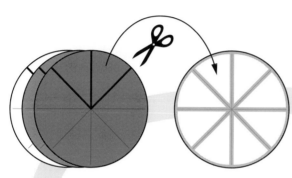

4 折り紙の色をかえて
同様に4枚作る

5 3枚を太線にそって
ハサミで切り、色を
かえて順番にはる

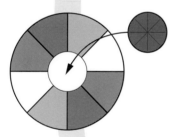

6 直径10cmの紙を丸く
切ってまん中にはる

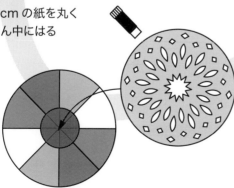

できあがり！

7 もようのうらにのりを
つけて土台にはる

花火2

壁面作品ページ P.26

※もようは、花火1（P.102）の手順5まで折ります。

もよう

太線にそってハサミで切ってひらく

\できあがり！/

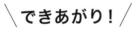

土台

※15cm・10cm・7.5cmの色のちがうおりがみを3枚使います。

1 半分に折る

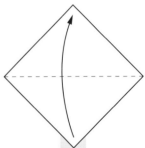

2 半分に折る

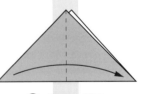

3 半分に折る

4 太線にそってハサミで切ってひろげる。ほかの2枚も同様に作る

5 大きい紙が下にくるように円の中心にはって重ねる

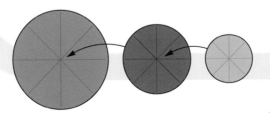

6 土台にもようをはる

\できあがり！/

キツネ

壁面作品ページ
P.28

※掲載作品の大きいキツネは、24cm×24cmのおりがみを使用しています。

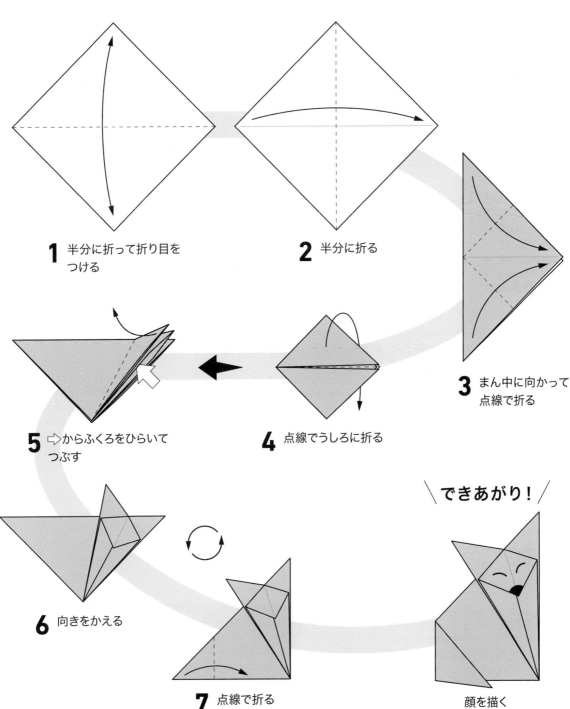

1 半分に折って折り目をつける

2 半分に折る

3 まん中に向かって点線で折る

4 点線でうしろに折る

5 ⇨からふくろをひらいてつぶす

6 向きをかえる

7 点線で折る

できあがり！

顔を描く

もみじ

壁面作品ページ P.28

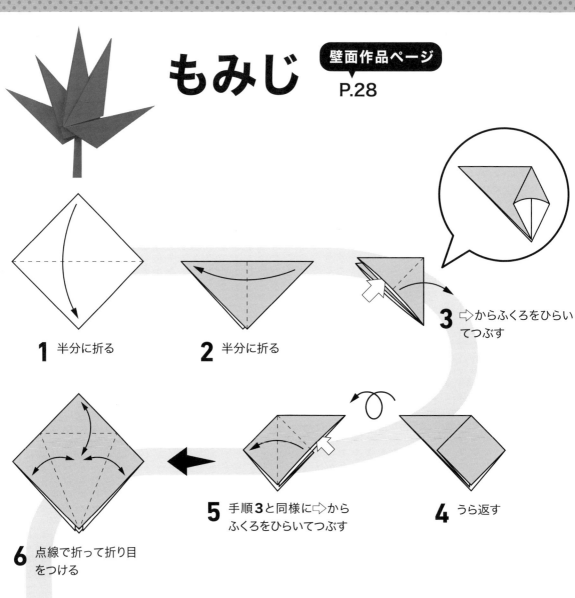

1 半分に折る

2 半分に折る

3 ⇨からふくろをひらいてつぶす

4 うら返す

5 手順3と同様に⇨からふくろをひらいてつぶす

6 点線で折って折り目をつける

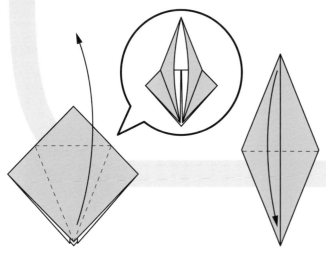

7 はしを持ち上げて、ひらいてつぶす。うらも同様にひらいてつぶす

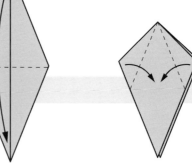

8 点線で折る。うらも同様に折る

9 点線で折る。うらも同様に折る

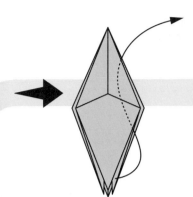
10 なかの1枚を中割り折りをする

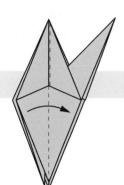
11 点線で折る

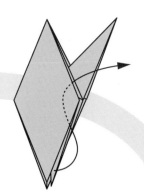
12 手順10と同様に中割り折りをする

15 点線でかぶせ折りをする

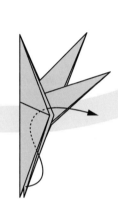
14 手順10と同様に中割り折りをする

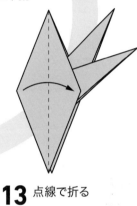
13 点線で折る

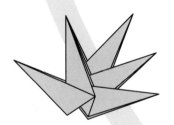
16 うら返す

17 別の紙を切り、のりをつけてはさむ

\ できあがり！ /

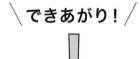

トンボ

壁面作品ページ P.28

※掲載作品は、7.5cm×7.5cmのおりがみを使用しています。

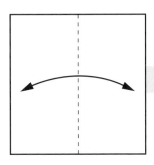

1 半分に折って折り目をつける

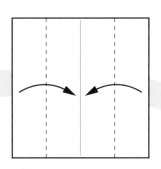

2 まん中に向かって点線で折る

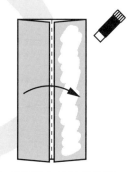

3 のりをつけて半分に折る

4 同様に色をかえて全部で3枚作る

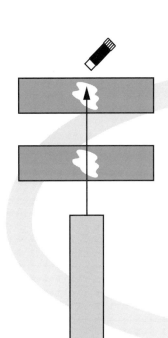

5 のりをつけてはる

\ できあがり！ /

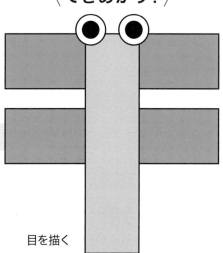

目を描く

かぼちゃのおばけ

壁面作品ページ P.30

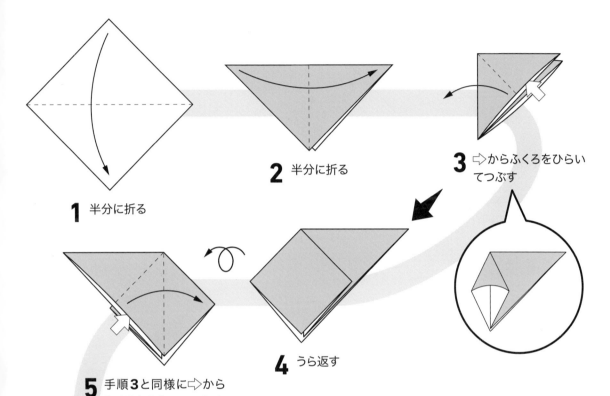

1 半分に折る

2 半分に折る

3 ➡からふくろをひらいてつぶす

4 うら返す

5 手順3と同様に➡からふくろをひらいてつぶす

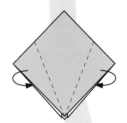

6 点線で内側に折る

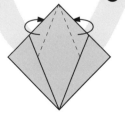

7 点線で内側に折る

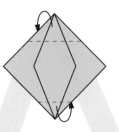

8 点線でうしろに折る

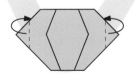

9 点線でうしろに折る

できあがり！

顔を描く

ふくろう

壁面作品ページ P.30

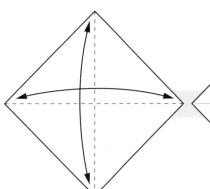

1 たてよこ半分に折って折り目をつける

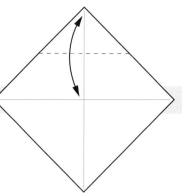

2 まん中に向かって点線で折って折り目をつける

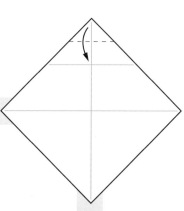

3 点線で折る

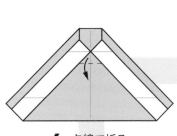

6 点線で折る

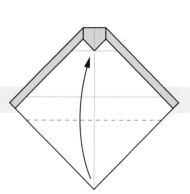

5 点線で折る

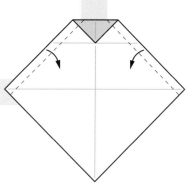

4 点線で折る

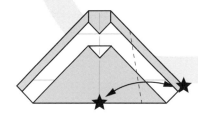

7 ★を合わせるように折って折り目をつける

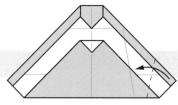

8 点線で折る

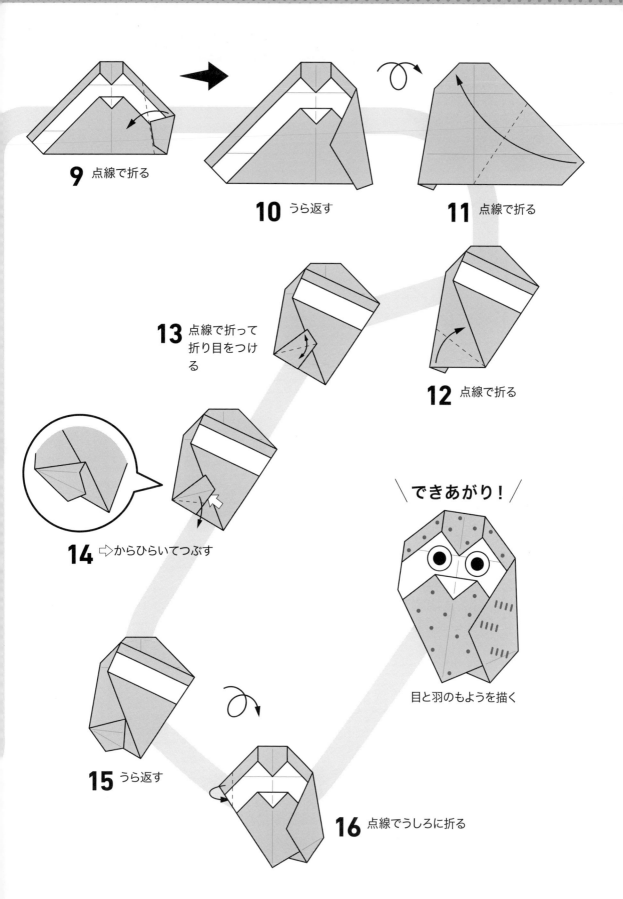

魔女

壁面作品ページ P.30

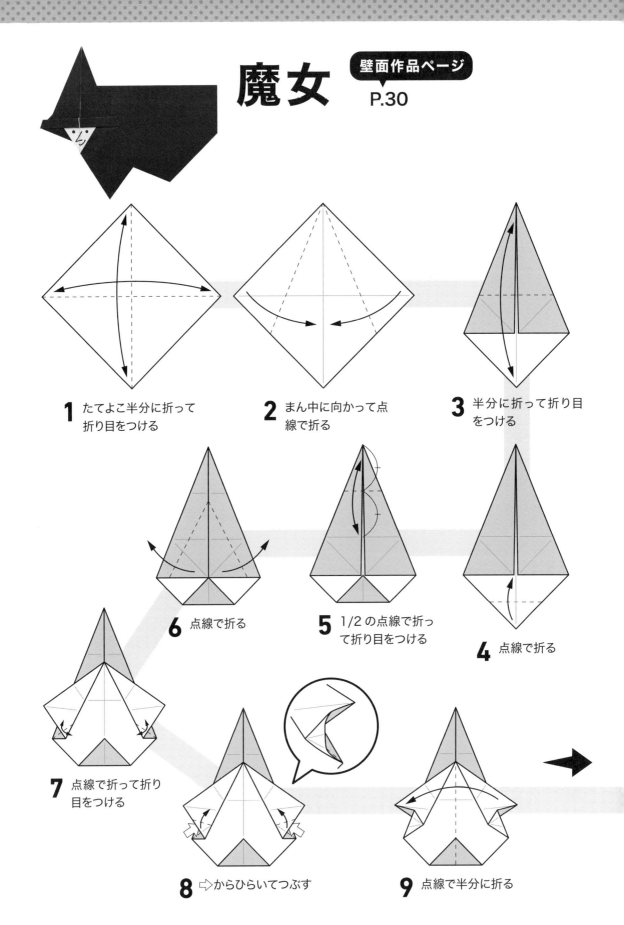

1 たてよこ半分に折って折り目をつける

2 まん中に向かって点線で折る

3 半分に折って折り目をつける

4 点線で折る

5 1/2の点線で折って折り目をつける

6 点線で折る

7 点線で折って折り目をつける

8 ⇨からひらいてつぶす

9 点線で半分に折る

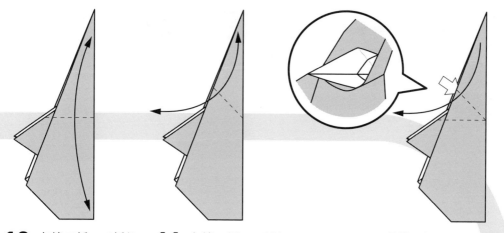

10 点線で折って折り目をつける

11 点線で折って折り目をつける

12 ⇨からひらいてつぶす

13 点線で折る

14 点線で折る

15 向きをかえる

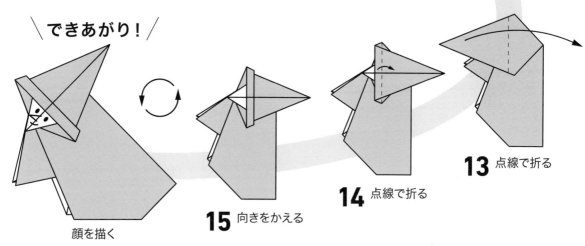

できあがり！

顔を描く

コウモリ

壁面作品ページ P.30

※掲載作品は、7.5cm×7.5cmのおりがみを使用しています。

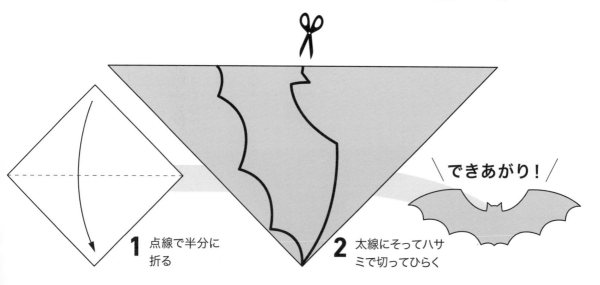

1 点線で半分に折る

2 太線にそってハサミで切ってひらく

できあがり！

リス

壁面作品ページ
P.32

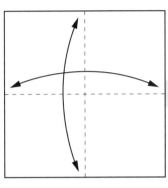

1 たてよこ半分に折って折り目をつける

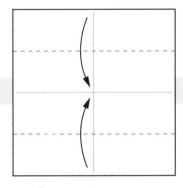

2 まん中に向かって点線で折る

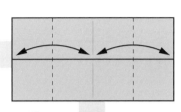

3 まん中に向かって点線で折って折り目をつける

4 点線で折って折り目をつける

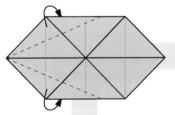

6 点線でうしろに折る

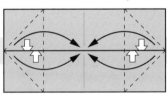

5 ⇨からふくろをひらいてつぶす

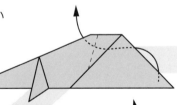

9 点線で中割り折りをする

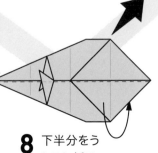

7 点線で折る

8 下半分をうしろに折る

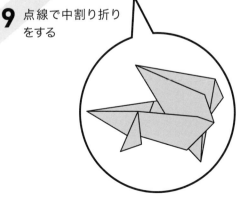

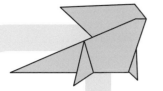
10 向きをかえる

11 点線でかぶせ折りをする

12 点線で中割り折りをする

13 点線で内側に折る。反対も同様に折る

\ できあがり！ /

目としっぽのもようを描く

どんぐり

壁面作品ページ
P.32

※掲載作品は、5cm×5cmのおりがみを使用しています。

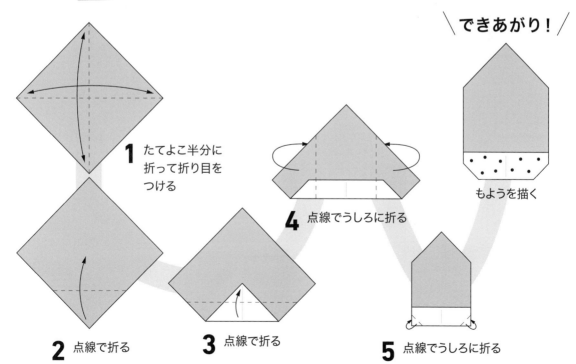

1 たてよこ半分に折って折り目をつける

2 点線で折る

3 点線で折る

4 点線でうしろに折る

5 点線でうしろに折る

\ できあがり！ /

もようを描く

115

 木

壁面作品ページ
P.32

※掲載作品の大きい木は10cm×10cm、小さい木は7.5cm×7.5cmのおりがみを使用しています。

木（葉っぱ）

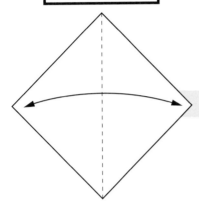

1 半分に折って折り目をつける

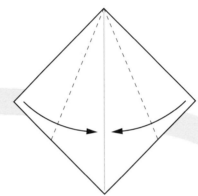

2 まん中に向かって点線で折る

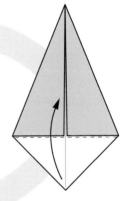

3 点線で折る

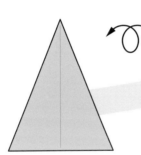

5 木（葉っぱ）のできあがり

4 うら返す

木（幹）

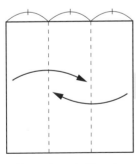

1 1/3の点線で右、左の順番に折る

2 半分に折る

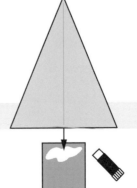

3 のりをつけて木（葉っぱ）をはる

\ できあがり！/

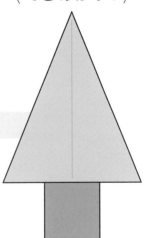

コスモス

壁面作品ページ P.34

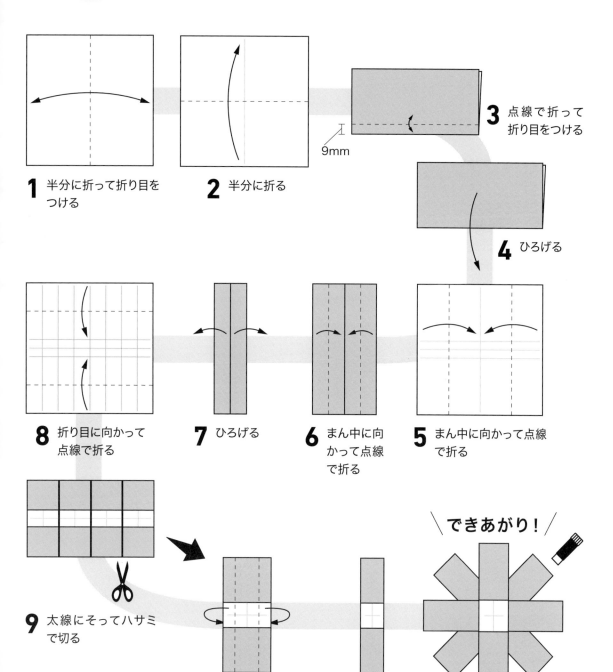

1. 半分に折って折り目をつける
2. 半分に折る
3. 点線で折って折り目をつける（9mm）
4. ひろげる
5. まん中に向かって点線で折る
6. まん中に向かって点線で折る
7. ひろげる
8. 折り目に向かって点線で折る
9. 太線にそってハサミで切る
10. 点線でうしろに折る
11. 同様に全部で4枚作る

できあがり！
中心にのりをつけながら重ねる

たぬき

壁面作品ページ P.34

※掲載作品の大きいたぬきは、20cm×20cmのおりがみを使用しています。

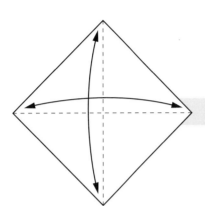

1 たてよこ半分に折って折り目をつける

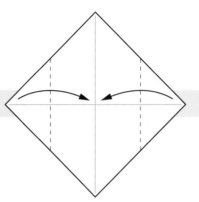

2 まん中に向かって点線で折る

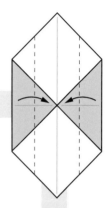

3 まん中に向かって点線で折る

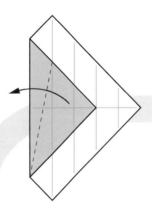

6 点線で折る

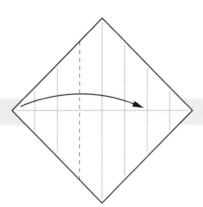

5 点線で折る

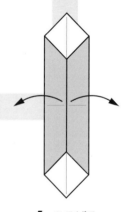

4 ひろげる

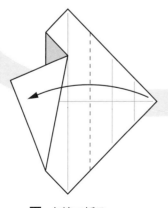

7 点線で折る

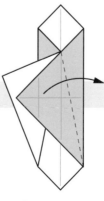

8 点線で折る

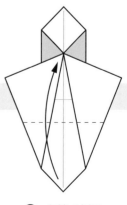

9 点線で折る

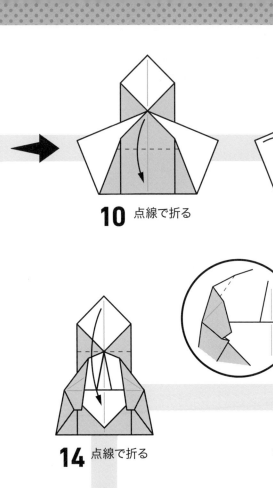

10 点線で折る

11 点線で折る

12 点線で折って折り目をつける

13 ⇨からひらいてつぶす

14 点線で折る

15 点線で段折りをする

16 点線でうしろに折る

17 まん中でうしろに少し折る

できあがり！

顔を描く

きのこ

壁面作品ページ P.34

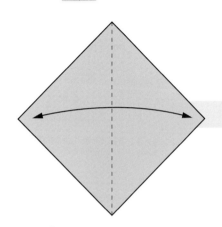

1 半分に折って折り目をつける

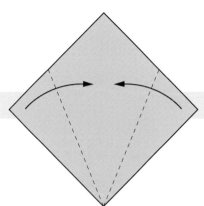

2 まん中に向かって点線で折る

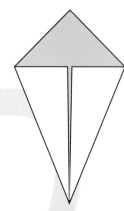

3 うら返す

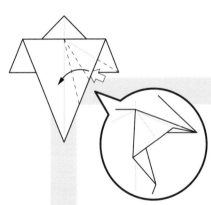

5 点線で折って折り目をつける

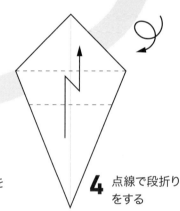

4 点線で段折りをする

6 ⇨からひらいてつぶす

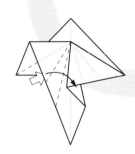

7 反対も同様に⇨からふくろをひらいてつぶす

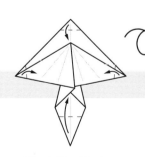

8 点線で折ってうら返す

\ **できあがり！** /

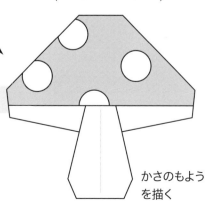

かさのもようを描く

ポインセチア

壁面作品ページ P.36

※掲載作品の緑色の葉は7.5cm×7.5cm、赤色の花は6cm×6cm。それぞれ、おりがみを3枚ずつ使用しています。

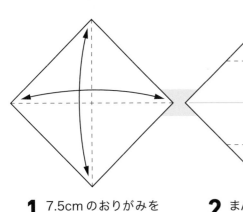

1 7.5cmのおりがみをたてよこ半分に折って折り目をつける

2 まん中に向かって点線で折る

3 まん中に向かって点線で折る

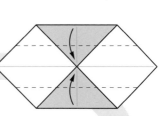

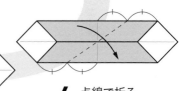

4 点線で折る

5 点線で折る

6 同様に全部で3枚作る

できあがり！

7 3枚を円状に並べてうら返す

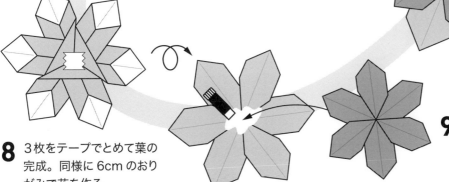

8 3枚をテープでとめて葉の完成。同様に6cmのおりがみで花を作る

9 おもてにもどし、葉の中心にのりをつけて花の部分をのせる

トナカイ

壁面作品ページ P.36

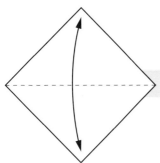

1 半分に折って折り目をつける

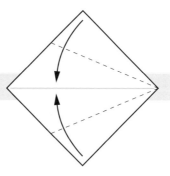

2 まん中に向かって点線で折る

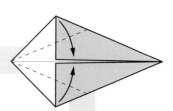

3 まん中に向かって点線で折る

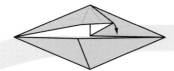

5 ひきだした紙でふくろを作ってつぶす。下も同様になかの紙をひきだして、ふくろを作ってつぶす

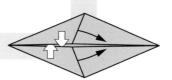

4 ⇨からひらいてなかの紙をひきだす

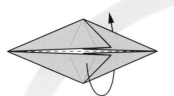

6 点線でうしろに折る

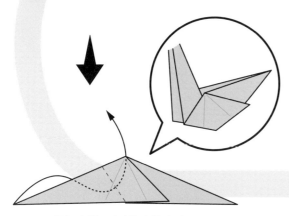

7 点線で中割り折りをする

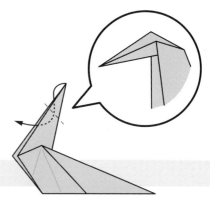

8 点線で中割り折りをする

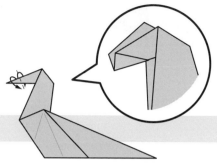

9 点線でかぶせ折りをする

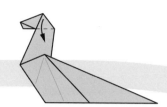

10 点線で折る。うらも同様に折る

13 点線でかぶせ折りをする

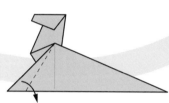

12 点線で折る。うらも同様に折る

11 点線で折る。うらも同様に折る

14 点線でかぶせ折りをする

＼できあがり！／

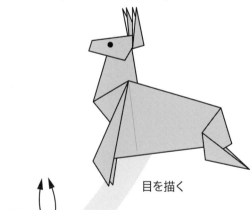

目を描く

15 太線にそってハサミで切る

16 切った紙を上に折る

雪の結晶

壁面作品ページ P.36

※手順**1〜6**まではすべて共通です。
※掲載作品は、7.5cm×7.5cmのおりがみを使用しています。

雪の結晶1

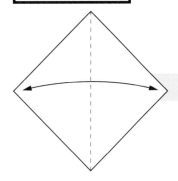

1 半分に折って折り目をつける

2 半分に折る

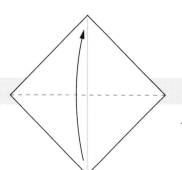

3 点線で折る

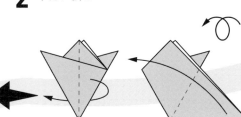

4 うら返す

5 点線で折る

6 うしろに折る

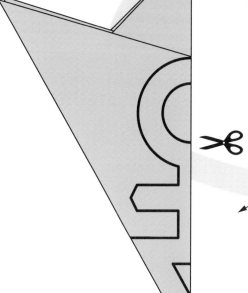

7 太線にそってハサミで切る

8 ひろげる

\できあがり!/

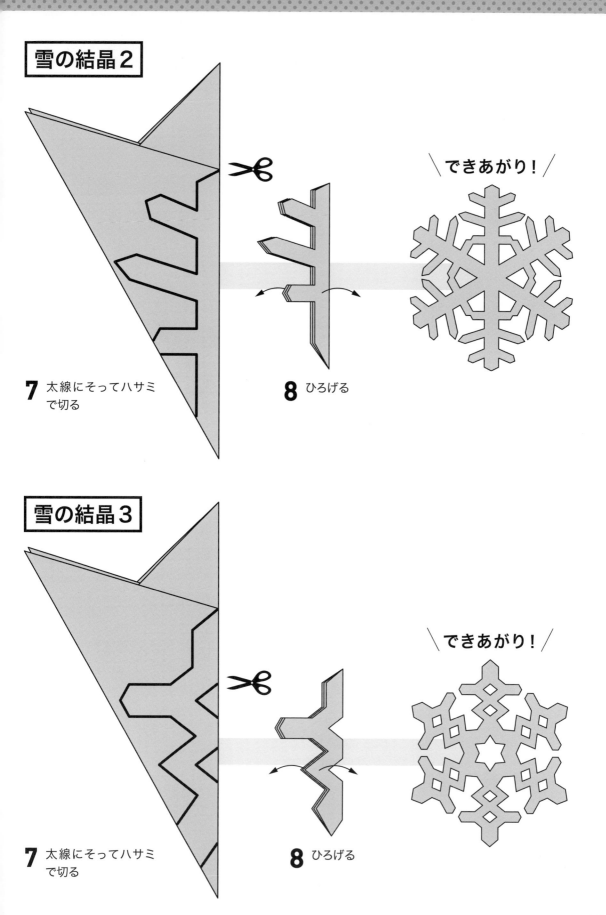

プレゼントボックス

壁面作品ページ P.36

※掲載作品は、7.5cm×7.5cmのおりがみを使用しています。

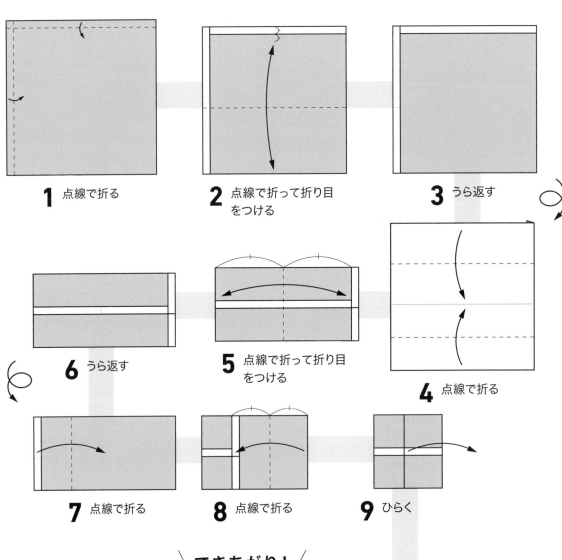

1 点線で折る

2 点線で折って折り目をつける

3 うら返す

4 点線で折る

5 点線で折って折り目をつける

6 うら返す

7 点線で折る

8 点線で折る

9 ひらく

\ できあがり！ /

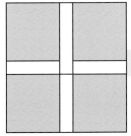

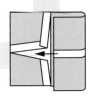

10 矢印の方向に差しこむ

やっこだこ

壁面作品ページ P.38

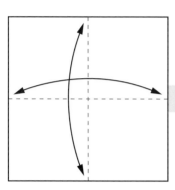

1 たてよこ半分に折って折り目をつける

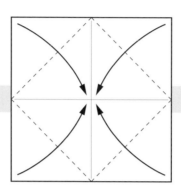

2 まん中に向かって点線で折る

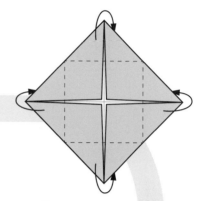

3 点線でうしろに折る

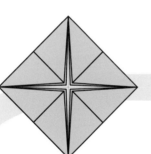

5 うら返す

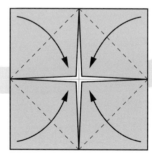

4 まん中に向かって点線で折る

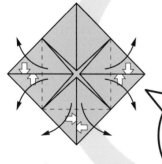

6 1ヵ所を残してからふくろをひらいてつぶす

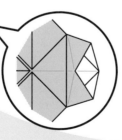

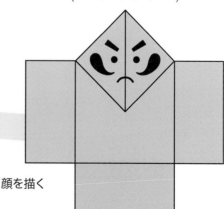

\ できあがり！ /

顔を描く

きりん

壁面作品ページ P.38

※掲載作品は、24cm×24cmのおりがみを使用しています。

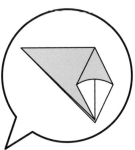

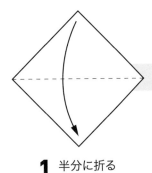

1 半分に折る

2 半分に折る

3 ⇨からふくろをひらいてつぶす

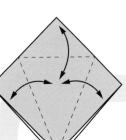

6 点線で折って折り目をつける

5 手順3と同様に⇨からふくろをひらいてつぶす

4 うら返す

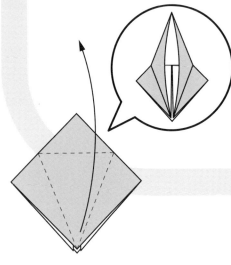

7 はしを持ち上げ、ひらいてつぶす。うらも同様に折る

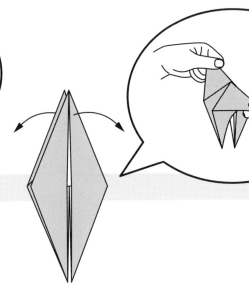

8 左右にひっぱりひらく

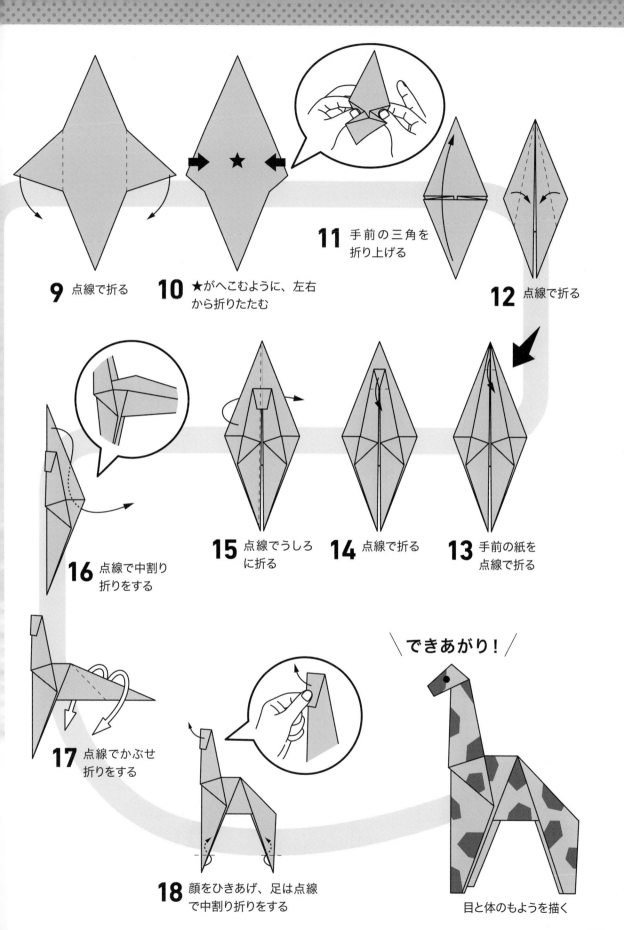

門松

壁面作品ページ
P.38

門松（上）

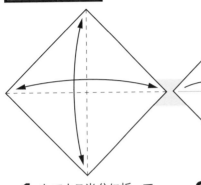

1 たてよこ半分に折って折り目をつける

2 まん中に向かって点線で折る

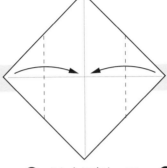

3 まん中に向かって点線で折る

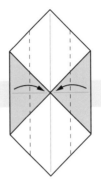

4 まん中に向かって点線で折る

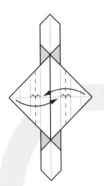

8 右、左の順番に点線で折る

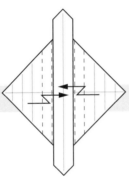

7 点線で前に段折りをする

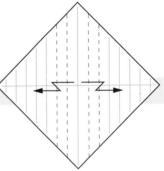

6 点線でうしろに段折りをする

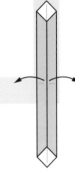

5 ひろげる

9 点線で折る

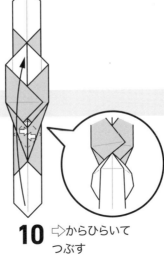

10 ⇨からひらいてつぶす

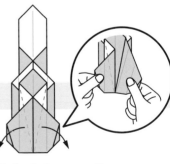

11 左右にひっぱりひらく

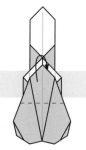

12 点線でうしろに折る

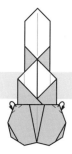

13 点線でうしろに折る

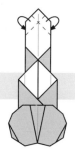

14 点線でうしろに折る

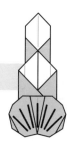

15 松のもようを描いて、門松（上）のできあがり

門松（下）

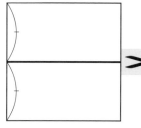

1 太線にそってハサミで半分に切る

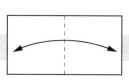

2 半分に折って折り目をつける

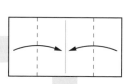

3 まん中に向かって点線で折る

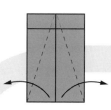

6 上の紙を点線で折る

5 まん中に向かって点線で折る

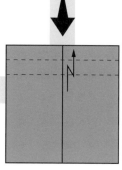

4 点線で段折りをする

7 うら返す

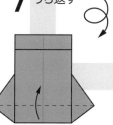

8 点線で折る

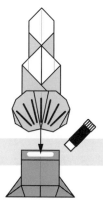

9 のりをつけて門松（上）をはる

\できあがり！/

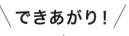

ペンギン

壁面作品ページ
P.40

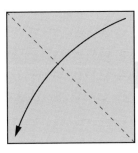

1 点線で半分に折る

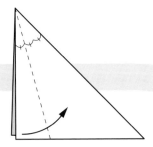

2 上の紙を1/3の点線で折る

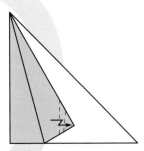

3 点線で段折りをする

6 点線でかぶせ折りをする

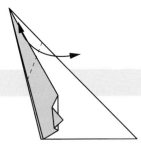

5 点線で折って折り目をつける

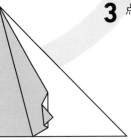

4 うらも同様に折る

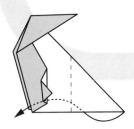

7 点線で中割り折りをする

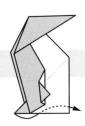

8 もういちど中割り折りをする

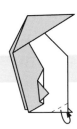

9 点線で内側に折る。うらも同様に折る

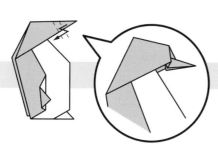

10 中割り折りの段折りをする

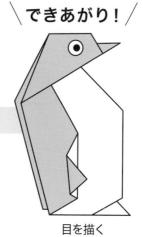

できあがり！

目を描く

ひいらぎ

壁面作品ページ
P.40

※掲載作品は、5cm×5cmのおりがみを使用しています。

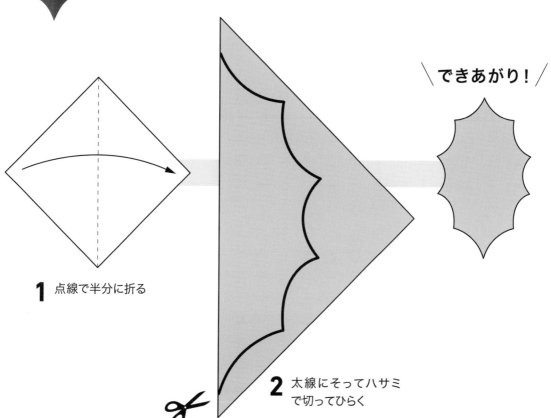

1 点線で半分に折る

2 太線にそってハサミで切ってひらく

できあがり！

オニ

壁面作品ページ P.40

> 顔

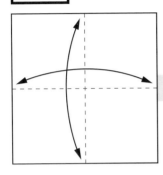

1 たてよこ半分に折って折り目をつける

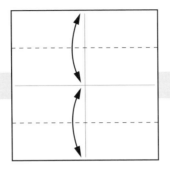

2 点線で折って折り目をつける

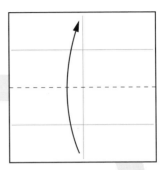

3 点線で折る

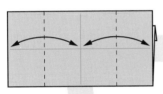

6 まん中に向かって点線で折って折り目をつける

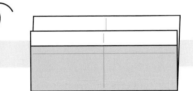

5 うら返す

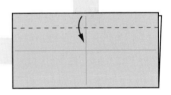

4 上の紙を点線で折る

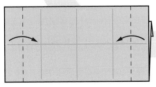

7 点線で折る

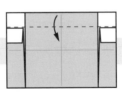

8 点線で折る

9 ⇨からふくろをひらいてつぶす

11 顔と髪の毛を描いて、顔のできあがり

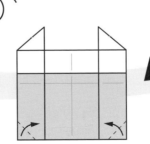

10 点線で折ってうら返す

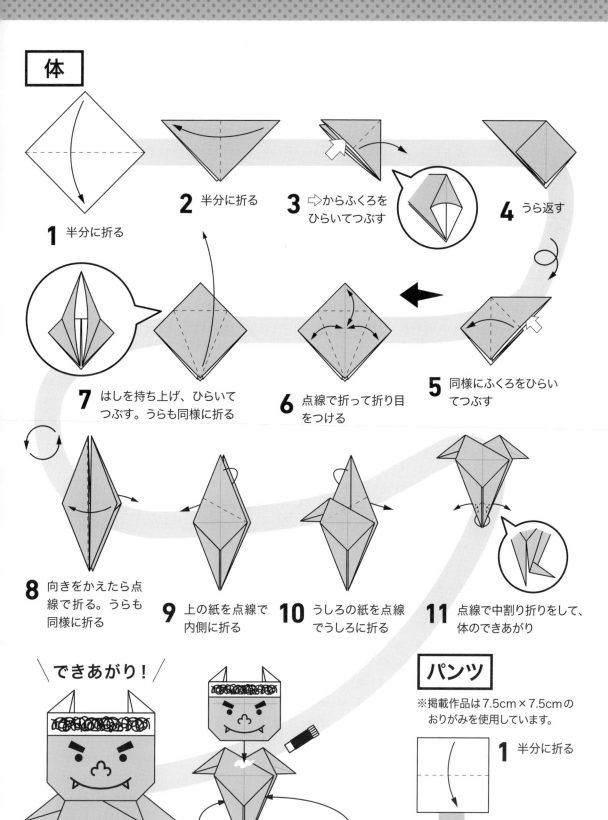

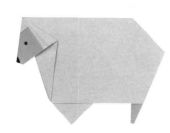

未(ひつじ)

壁面作品ページ P.42、P.44、P.47

※掲載作品の小さいひつじは、10cm×10cmのおりがみを使用しています。

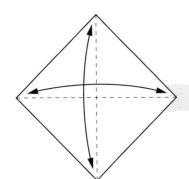

1 たてよこ半分に折って折り目をつける

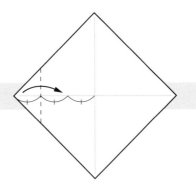

2 1/3の点線で折る

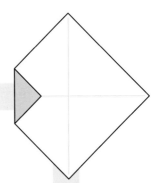

3 うら返す

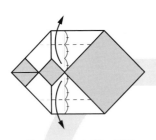

6 1/3の点線で折る

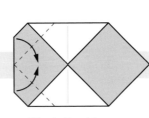

5 点線で折る

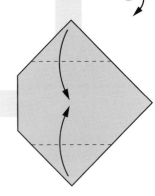

4 まん中に向かって点線で折る

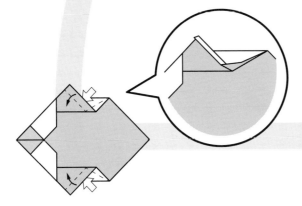

7 ⇨からひらいてつぶす

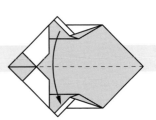

8 半分に折る

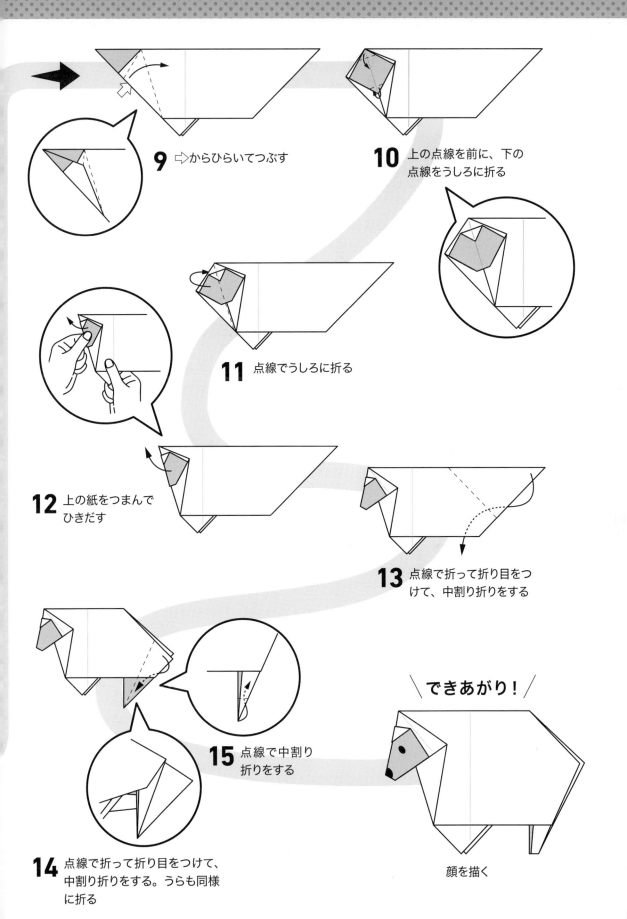

おびな めびな

壁面作品ページ
P.42

※手順7まで共通です。

おびな

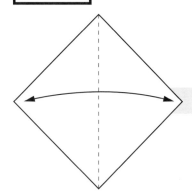

1 半分に折って折り目をつける

2 半分に折る

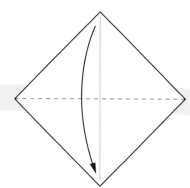

3 まん中に向かって点線で折る

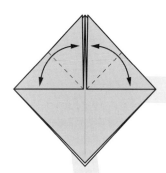

5 点線で折って折り目をつける

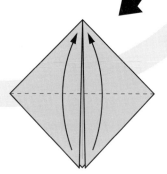

4 点線で折る

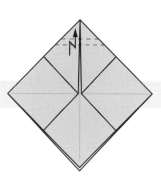

6 ⇨からふくろをひらいてつぶす

7 点線でうしろに段折りをする

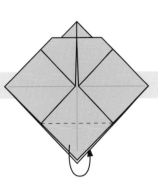

8 点線でうしろに折る

9 点線で少しうしろに折る

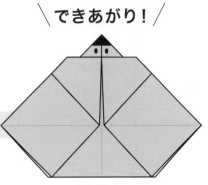

\できあがり！/

顔を描く

めびな

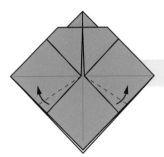

8 点線で折る

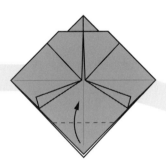

9 点線で折る

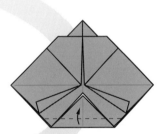

10 点線で折る

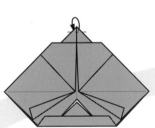

11 点線でうしろに折る

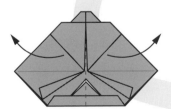

12 点線で少しうしろに折る

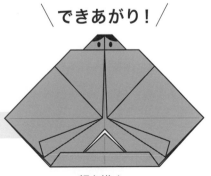

\できあがり！/

顔を描く

# 子（ねずみ）

壁面作品ページ
P.44、P.46

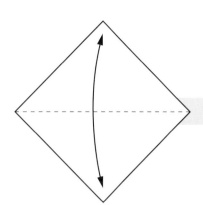

1 半分に折って折り目をつける

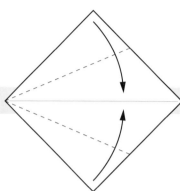

2 まん中に向かって点線で折る

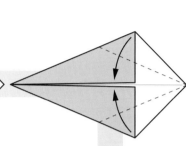

3 まん中に向かって点線で折る

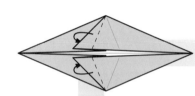

6 上、下の順番に点線でうしろに折る

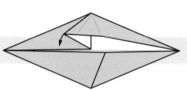

5 ひきだした紙でふくろを作ってつぶす。下も同様になかの紙をひきだしてふくろを作ってつぶす

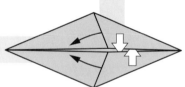

4 ⇨からひらいてなかの紙をひきだす

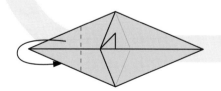

7 点線でうしろに折る

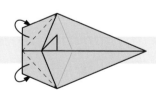

8 点線でうしろに折る

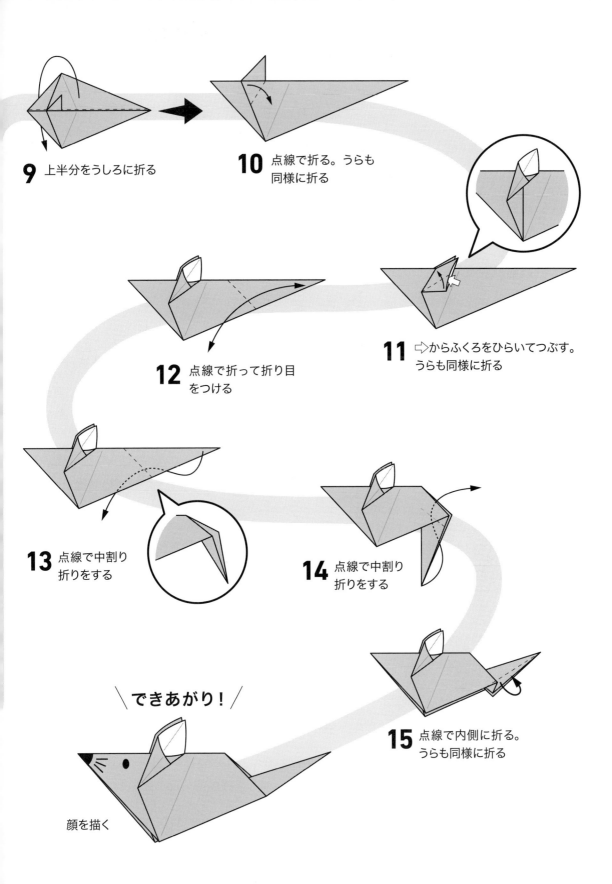

丑（うし）

壁面作品ページ P.44、P.46

※おもてうらがわかりやすいようにうら面には色がついていますが、両面白色のおりがみで折ると、うしらしさが出ます。

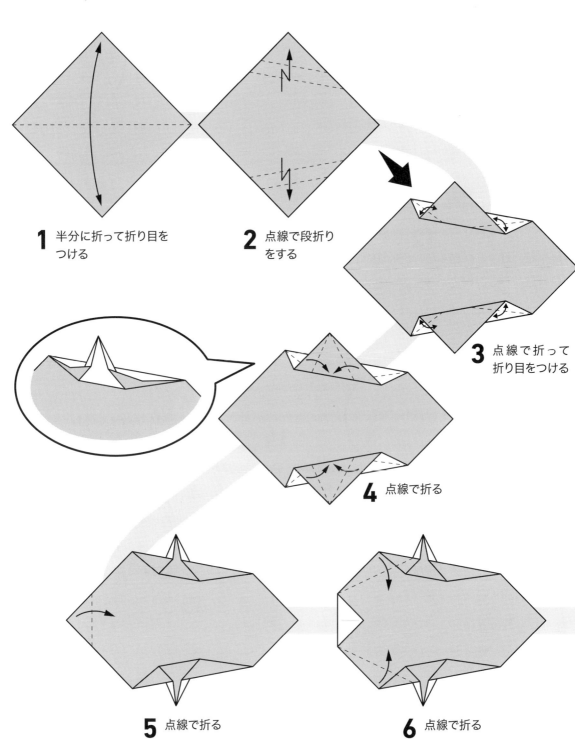

1 半分に折って折り目をつける

2 点線で段折りをする

3 点線で折って折り目をつける

4 点線で折る

5 点線で折る

6 点線で折る

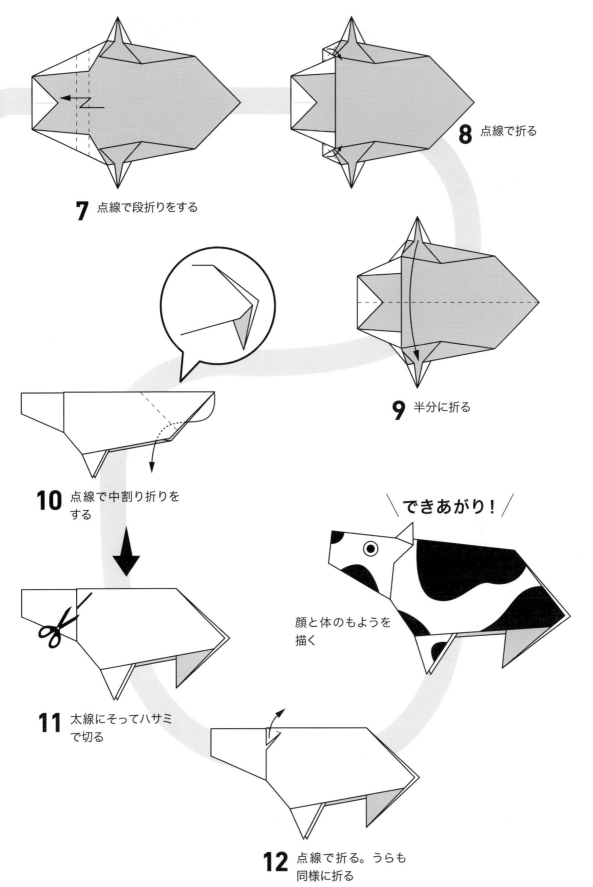

寅(とら)

壁面作品ページ P.44、P.46

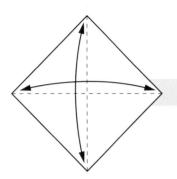

1 たてよこ半分に折って折り目をつける

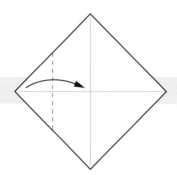

2 まん中に向かって点線で折る

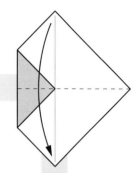

3 半分に折る

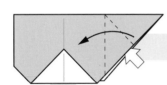

6 ⇨からふくろをひらいてつぶす

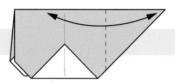

5 点線で折って折り目をつける

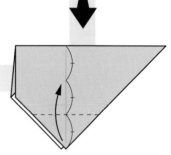

4 1/3の点線で折る。うしろも同様に折る

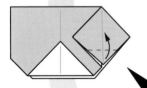

7 上の紙を点線で折る

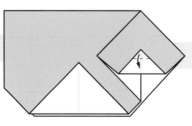

8 点線で折る

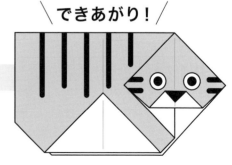

できあがり！

顔と体のもようを描く

申(さる)

壁面作品ページ P.44、P.48

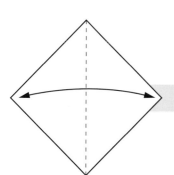

1 半分に折って折り目をつける

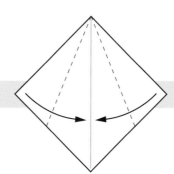

2 まん中に向かって点線で折る

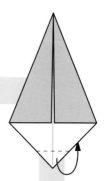

3 点線でうしろに折る

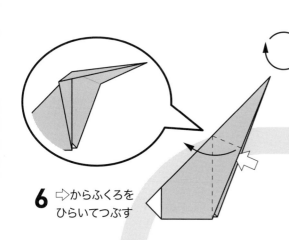

6 ⇨からふくろをひらいてつぶす

5 向きをかえる

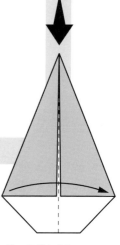

4 半分に折る

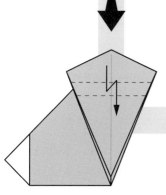

7 上の紙を点線で段折りをする

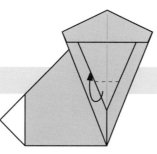

8 点線でうしろに折る

\ できあがり！ /

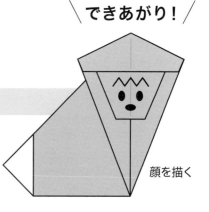

顔を描く

卯（うさぎ）

壁面作品ページ P.44、P.46

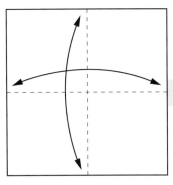

1 たてよこ半分に折って折り目をつける

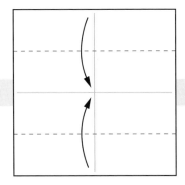

2 まん中に向かって点線で折る

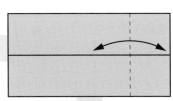

3 まん中に向かって点線で折って折り目をつける

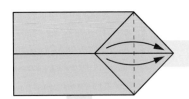

6 点線で折る

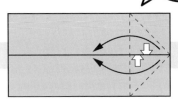

5 ▷からふくろをひらいてつぶす

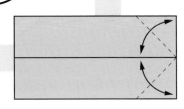

4 点線で折って折り目をつける

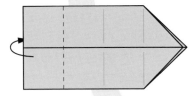

7 点線でうしろに折る

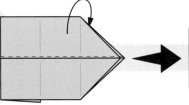

8 上半分をうしろに折る

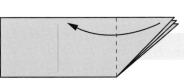

9 上の紙を点線で折る

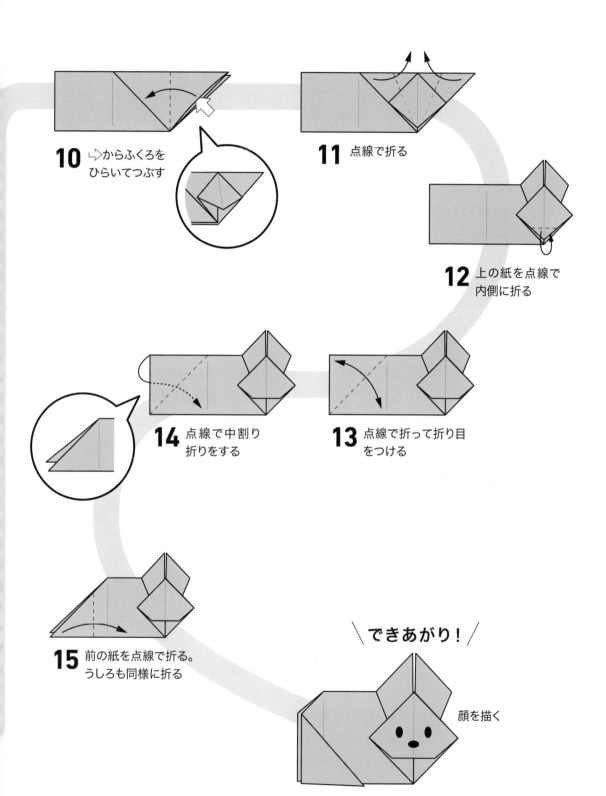

辰（りゅう）

壁面作品ページ
P.44、P.47

体　※掲載作品は、7.5cm×7.5cmのおりがみを使用しています。

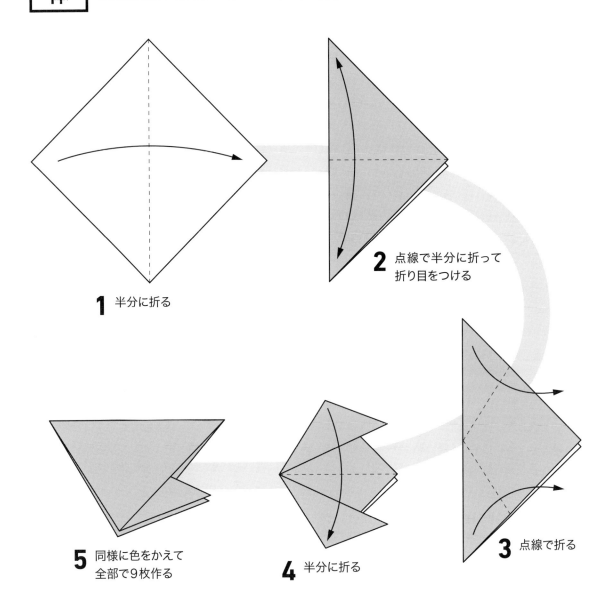

1 半分に折る

2 点線で半分に折って折り目をつける

3 点線で折る

4 半分に折る

5 同様に色をかえて全部で9枚作る

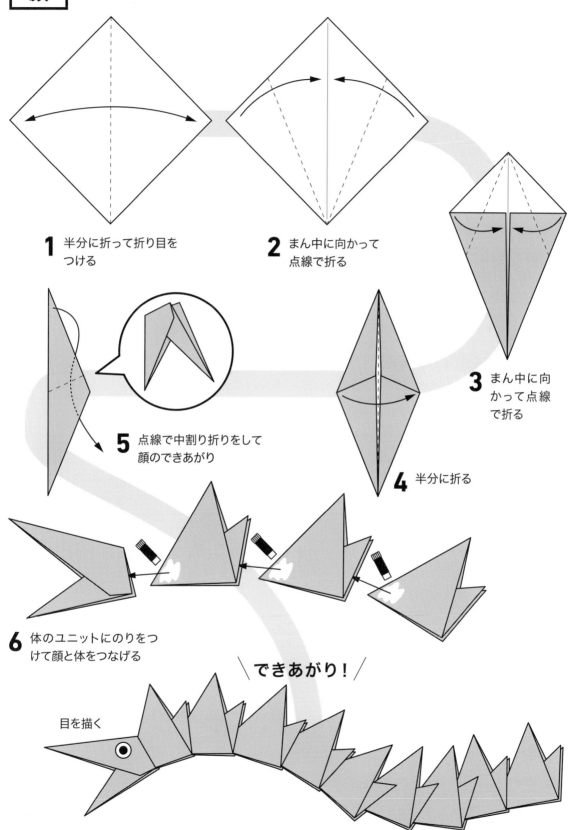

 巳（み）（へび）

壁面作品ページ P.44、P.47

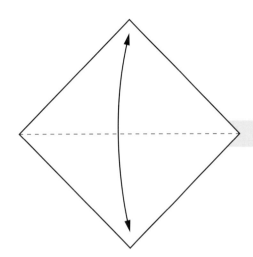

1 半分に折って折り目をつける

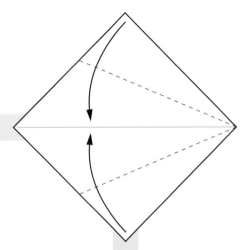

2 まん中に向かって点線で折る

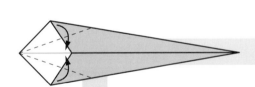

4 まん中に向かって点線で折る

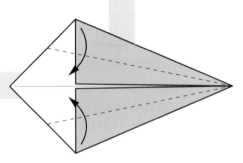

3 まん中に向かって点線で折る

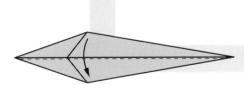

5 半分に折る

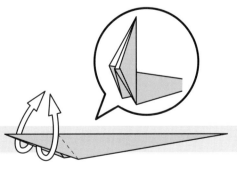

6 点線でかぶせ折りをする

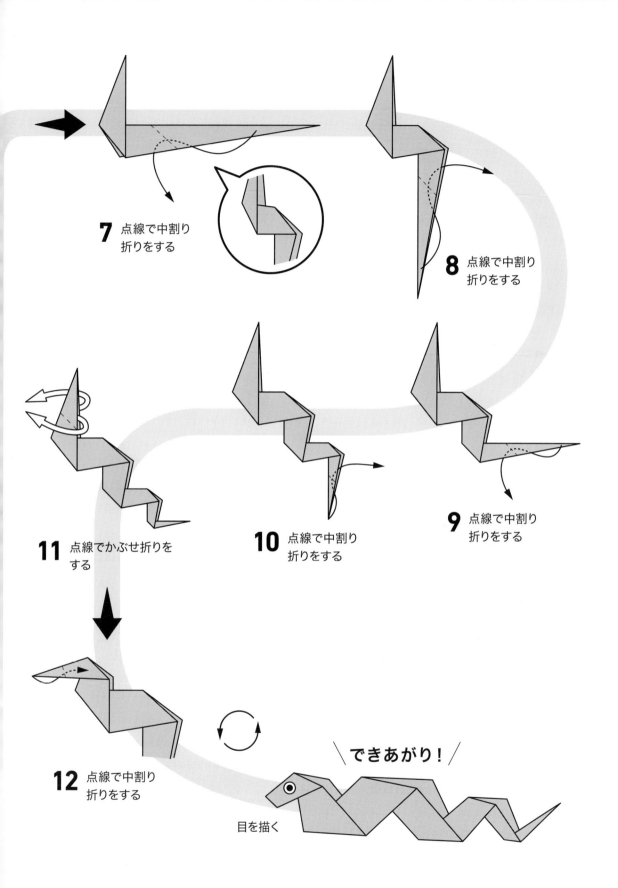

午（うま）

壁面作品ページ P.44、P.47

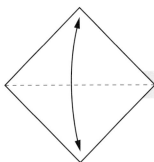

1 半分に折って折り目をつける

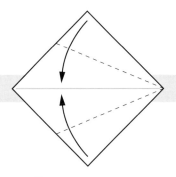

2 まん中に向かって点線で折る

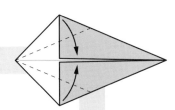

3 まん中に向かって点線で折る

6 下半分をうしろに折る

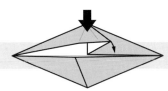

5 ひきだした紙でふくろを作ってつぶす。下も同様になかの紙をひきだして、ふくろを作ってつぶす

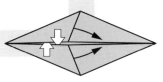

4 ⇨からひらいてなかの紙をひきだす

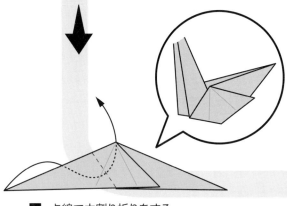

7 点線で中割り折りをする

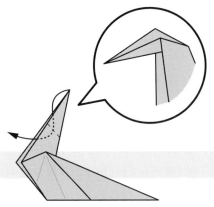

8 点線で中割り折りをする

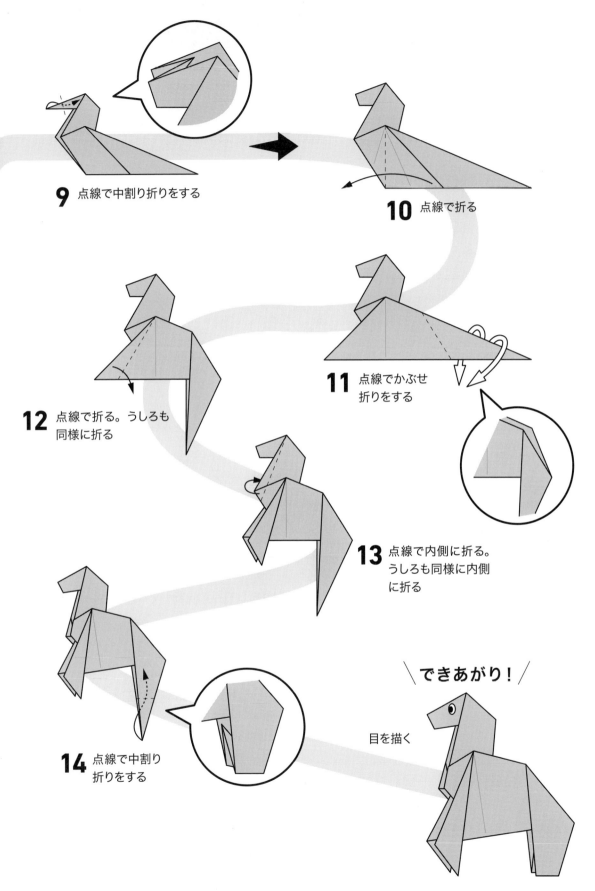

酉 (とり)

壁面作品ページ P.44、P.48

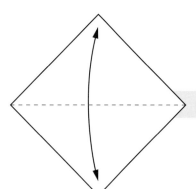

1 半分に折って折り目をつける

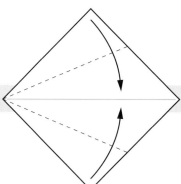

2 まん中に向かって点線で折る

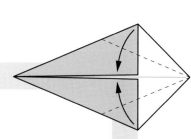

3 まん中に向かって点線で折る

6 点線で上、下の順番に折る

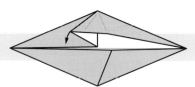

5 ひきだした紙でふくろを作ってつぶす。下も同様になかの紙をひきだして、ふくろを作ってつぶす

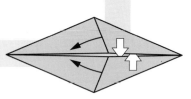

4 ⇨からひらいてなかの紙をひきだす

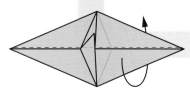

7 下半分をうしろに折る

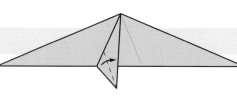

8 点線で折る。うらも同様に折る

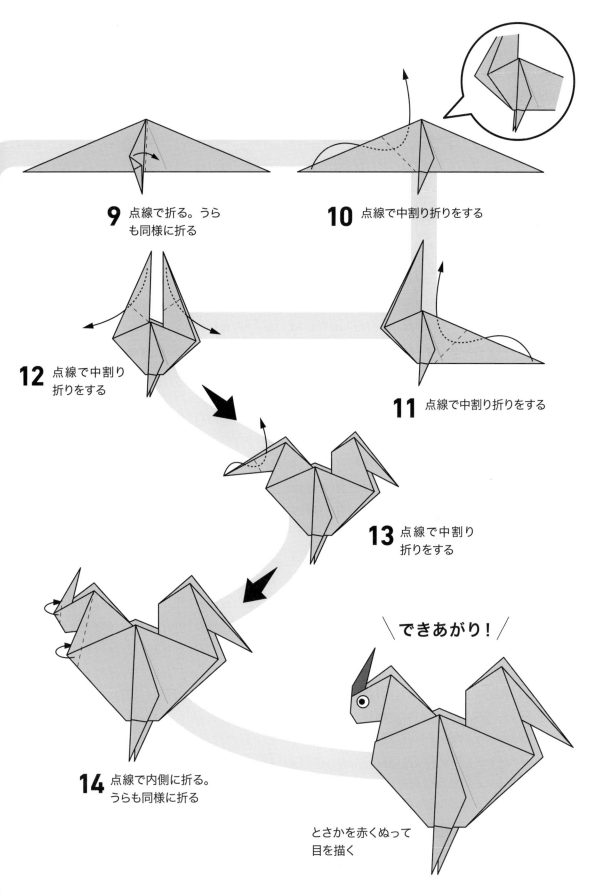

戌（いぬ）

壁面作品ページ P.44、P.48

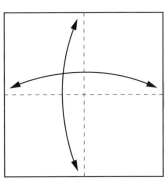

1 たてよこ半分に折って折り目をつける

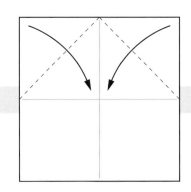

2 まん中に向かって点線で折る

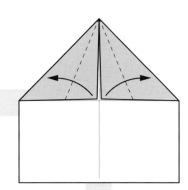

3 点線で折る

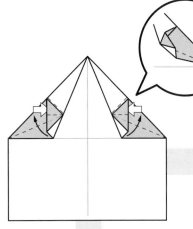

6 ⇨からふくろをひらいてつぶす

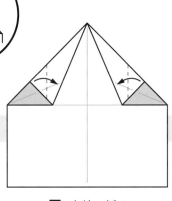

5 点線で折る

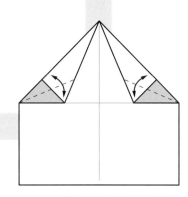

4 点線で折って折り目をつける

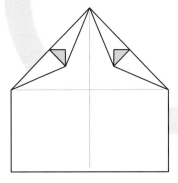

7 うら返す

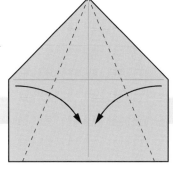

8 まん中に向かって点線で折る

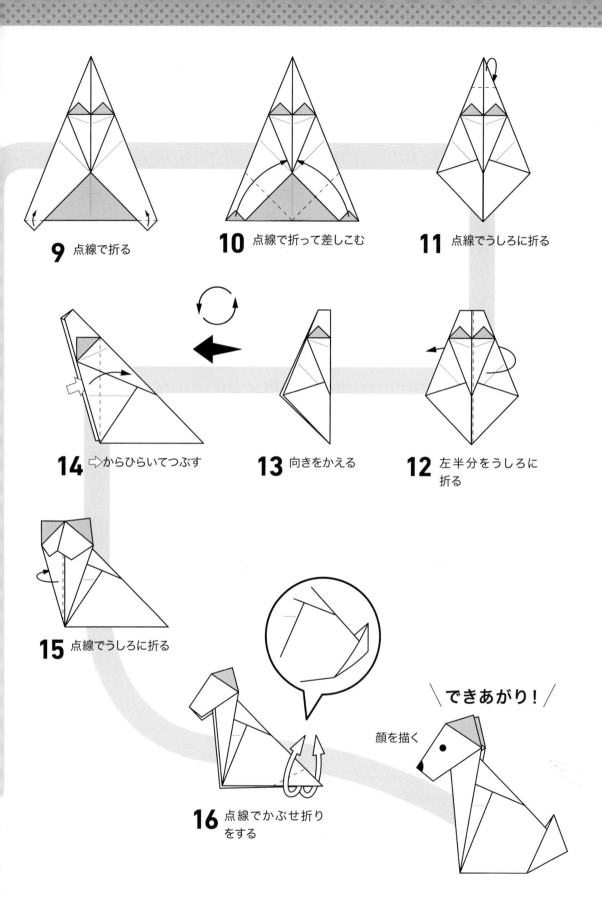

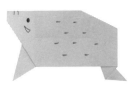# 亥（いのしし）

壁面作品ページ P.44、P.48

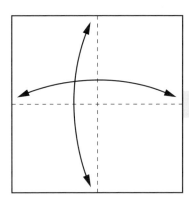

1 たてよこ半分に折って折り目をつける

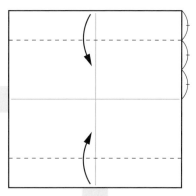

2 1/3の点線で折る

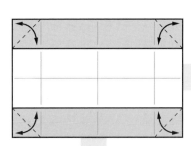

4 点線で折って折り目をつける

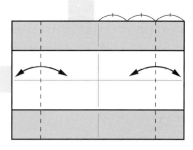

3 1/3の点線で折って折り目をつける

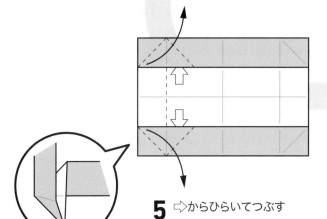

5 ⇨からひらいてつぶす

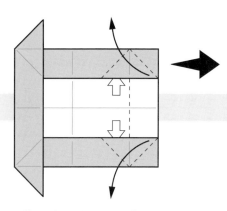

6 反対も手順5と同様に折る

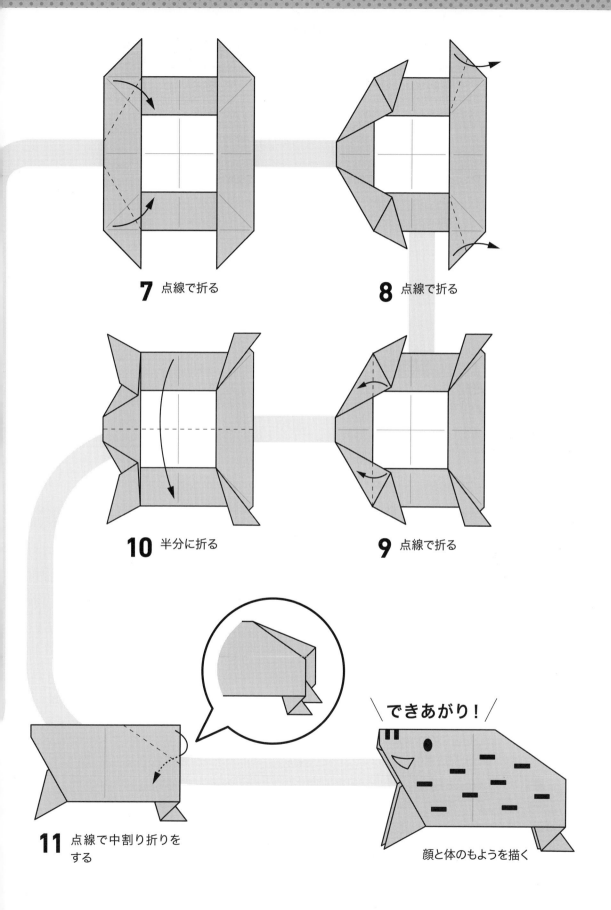

監修

新宮文明
しんぐうふみあき

福岡県大牟田市生まれ。
デザイン学校を卒業後、上京。1984年に株式会社シティプランを設立。グラフィックデザインに携わるかたわら、オリジナル商品「JOYD」シリーズを製作し、トイザらス、東急ハンズのほか、ニューヨーク、パリなど海外でも販売。1998年に「折り紙遊び」シリーズを発売。2003年にインターネットサイト「おりがみ くらぶ」を開設する。著書に「エンジョイおりがみ」（朝日出版）、「おりがみしよっ！」「きせつで楽しい みんなのおりがみ」（日本文芸社）、「おりがみえほんシリーズ」（文渓堂）、「親子で遊べるだいすき！ おりがみ」（高橋書店）など多数。

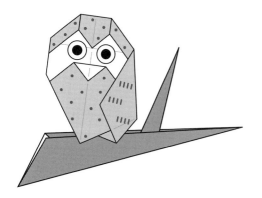

壁面制作	佐藤洋子（大きな作品）
	町田里美（小さな作品）
本文デザイン・DTP	平野晶（株式会社セルト）
撮影	横田裕美子（STUDIO BAN BAN）
折り図制作	坂川由美香
校正	みね工房
編集協力	佐藤洋子
編集・制作	株式会社 童夢
編集担当	渡部まどか（つちや書店）

おりがみで作る壁面かざり
十二支とかわいい動物たち

監　修　新宮文明
発行者　志賀　朗
発行所　株式会社 滋慶出版／つちや書店
　　　　〒100-0014　東京都千代田区永田町2-4-11
　　　　TEL 03-6205-7865　FAX 03-3593-2088
　　　　HP　http://tuchiyago.co.jp/
　　　　E-mail　shop@tuchiyago.co.jp
印刷・製本　シナノ書籍印刷株式会社

©Jikei Shuppan 2016 Printed in Japan
落丁・乱丁本は当社にてお取り替え致します。

本書内容の一部あるいはすべてを許可なく複製（コピー）したり、スキャンおよびデジタル化等のデータファイル化することは、著作権法上での例外を除いて禁じられています。また、本書を代行業者等の第三者に依頼してデータ化・電子書籍化することは、たとえ個人や家庭内の利用であっても、一切認められませんのでご留意ください。

この本に関するお問い合わせは、書名・氏名・連絡先をご明記のうえ、上記FAXまたはメールアドレスへお寄せください。なお、電話でのご質問はご遠慮くださいませ。また、ご質問内容につきましては「本書の正誤に関するお問い合わせ」のみとさせていただきます。あらかじめご了承ください。